Alabama Song

Gilles Leroy

Alabama Song

Roman

Vertaling
Prescilla van Zoest

Cossee
Amsterdam

De vertaler ontving voor deze vertaling een werkbeurs
van het Nederlands Letterenfonds.

Deze vertaling is gepubliceerd met steun van het Franse
ministerie van Buitenlandse Zaken, het Institut Français
des Pays-Bas / Maison Descartes en de Banque-Paribas.

Oorspronkelijke titel *Alabama Song*
© 2007 Gilles Leroy, Mercure de France
Literary Agency Wandel Cruse
Nederlandse vertaling © 2011 Prescilla van Zoest
en Uitgeverij Cossee BV, Amsterdam
Omslagillustratie Scott en Zelda Fitzgerald © Corbis
Boekomslag Marry van Baar
Typografie binnenwerk Adriaan de Jonge
Druk HooibergHaasbeek, Meppel

ISBN 978 90 5936 305 2 | NUR 302

voor Isabelle Gallimard en Christian Biecher

'Als je naar het bal gaat, moet je dansen.'
HENRI CARTIER-BRESSON

TWINTIG VOOR MIDDERNACHT

Bepaalde dingen doen mensen meestal in het verborgene: stelen, doden, verraden, beminnen, klaarkomen. Ik moest *schrijven* in het verborgene. Ik was amper twintig toen ik in de greep – in de macht – raakte van een man die nauwelijks ouder was dan ik, die mijn leven wilde beheersen en dat helemaal verkeerd aanpakte.

I

Poppen van papier

Het soldatenbal

Plotseling werd onze ingedutte stad overstroomd door duizenden jongemannen, voor het merendeel arme sloebers die waren weggerukt van de boerderij, plantage of marktkraam waar ze werkten; ze kwamen uit al onze zuidelijke staten terwijl hun kersverse officieren, die net de militaire academie achter de rug hadden, afkomstig waren uit het noorden – het gebied van de grote meren en de prairies (sinds de burgeroorlog hadden ze niet meer zo veel yankees in de stad gezien, zei moeder).

Met al hun jeugdigheid en energie stortten de opgewekte strijders zich luidruchtig over ons uit, als zwermen vogels verspreidden ze zich door onze straten, in hun blauwe, grijze of groene uitdossing, sommigen met gouden of zilveren pluimen, versierd met dappere sterren of veelkleurige spelden – maar allen, de vogels uit de lagere en de vogels uit de hogere rangen, sommigen voormalige tegenstanders uit de Burgeroorlog en nu al dan niet broederlijk verenigd, allen zouden ze weldra vertrekken voor de lange oversteek van de oceaan op weg naar het oude Europa, dat nog niet het land van onze dromen was maar het continent van een onbekende angst: te sneuvelen in een buitenlandse oorlog.

Als ze al bang waren, dan lieten ze dat niet blijken. Er waren steeds vaker dansavonden, in de straten, op de vliegvelden rond de stad en in de opleidingskampen. (Dat is bijzonder, ja, iets unieks, niet te verklaren: geen enkele plaats van eenzelfde bescheiden omvang als Montgomery telde zo veel vliegvelden. Derhalve werd ons kneuterige stadje verkozen tot kweekplaats van jongens die uitgeleverd gingen worden aan de strijd – de Strijd, zeiden ze, de Actie.)

Ik hoor nog het enerverende rumoer dat ze maakten: het trotse kabaal van klikkende hakken, van schreeuwende stemmen en klinkende glazen, alsof twintigduizend jongemannen samen één groot lichaam vormden, een reus met een koortsige pols bij wie je de adrenaline en de onstuitbaar aanzwellende levenssappen kon horen kolken. Het leek alsof de dreiging van onheil en de onontkoombaarheid van toekomstige gevaren, onbekend maar dodelijk geweld, de mannen nog lawaaieriger, kinderlijker en merkwaardig euforisch maakten.

Hoe wij, de Southern Belles, door die jongens gezien werden, zou ik niet weten: als een gonzende zwerm bijen misschien, of een volière vol kolibries en opgeschrikte parkieten. De enige reden om op te staan, om te leven, was dat er weer een nieuwe parade in de stad werd verwacht, en voor meisjes die geluk hadden, zoals ik, wier ouders hen niet kort hielden, was er steeds wel weer een volgend bal in de Country Club of in de officiersmess van Camp Sheridan.

In het begin had vader nog geprobeerd me thuis te houden met al die troepen in de stad. Hij was een bleke, angstvallige ambtenaar, een kille man der wet die elke avond met zonsondergang naar bed ging, en in zijn beleving was het soldatenvolk slechts een duistere horde van verdorven woestelingen, verkrachters en moordenaars. Van Minnie – dank je mam – mocht ik wel naar de Country Club maar nergens anders heen, ook niet naar andere dansfeesten, en ik moest voor twaalven thuis zijn. Zij zat urenlang te wachten, ze kon pas slapen als ik thuiskwam en dat was meestal ver na middernacht.

Luitenant Fitzgerald geeft op zijn eenentwintigste al blijk van vele talenten. Hij is een geweldig danser die alle nieuwe dansen kent en mij de *turkey trot* leert, en de *maxie*, en de *aeroplane*; hij schrijft korte verhalen die binnenkort zullen verschijnen, daar is hij van overtuigd. Hij is fris en elegant, en hij spreekt Frans – het is aan zijn kennis van het Frans te danken dat hij na zijn studie aan Princeton University tot luitenant bij de infanterie is benoemd, want degenen die Frans spreken hebben iets voor op de anderen, waardoor ze razendsnel officier worden – *maar hij is vooral schoon en verzorgd*, zijn voorkomen heeft iets kokets, bijna dandyachtigs. Zijn uniform is op maat gemaakt bij Brooks Brothers in New York. Over zijn olijfgroene rijbroek draagt hij in plaats van de gebruikelijke beenwindsels hoge, strogele laarzen, met sporen die hem doen lijken op een onwerkelijke held uit een plaatjesboek.

Hij is klein, ja, maar dit gebrek van een paar centimeter wordt goedgemaakt door een slank postuur dat in de getailleerde uniformjas nog beter uitkomt, door een hoog voorhoofd en door iets onbenoembaars (het vertrouwen iemand van belang te zijn, een geloof in jezelf, het gevoel dat er een weergaloze toekomst voor je is weggelegd), door een waanzinnige uitstraling kortom, die hem een kop groter doet lijken. Vrouwen zijn door hem gefascineerd, mannen ook. Dat is iets bijzonders waarover ik eens moet nadenken: geen enkele van zijn wapenbroeders is jaloers op hem of voelt zich zijn mindere. Nee, het is alsof de andere mannen zijn verleidingskracht accepteren, aanmoedigen...

Hoe meer hij me in verwarring brengt, hoe meer hij me ergert! Hou op met dromen. Nu meteen.

*

Ja, elke dag was er wel weer een nieuwe dans, en ik kende ze allemaal. Ik kon uren voor de spiegel doorbrengen om een bepaalde pas te oefenen; glimlachend rechtte ik mijn rug en trok mijn schouders naar achteren.

De jongens uit de clubs, de jonge officieren uit de mess, allemaal eten ze uit mijn wit gehandschoende hand. Ik ben Zelda Sayre. De dochter van de Rechter. De toekomstige verloofde van de toekomstige beroemde schrijver.

*

Vanaf de eerste dag dat ik hem zag, heb ik op hem gewacht, onafgebroken.

En heb ik geleden, voor hem, met hem, door hem.

In de tuin van Pleasant Avenue boog hij zich over mijn moeders Europese rozen, hij leek het meest gecharmeerd van de donkere, karmijnrode Baccara's en de Crimson Glory's. Op de dag dat hij zich kwam voorstellen was hij zo goed als volmaakt. De smetteloosheid van het Brooks uniform liet niets te wensen over, de vouw in zijn broek was messcherp en de scheiding in zijn blonde haar leek met een touwtje getrokken, zo strak was die, en precies in het midden.

'Ik ben Scott,' zei hij.

'Aangenaam kennis te maken. Minnie Machen Sayre. Ik ben de moeder van deze bijzondere dame.'

Ze keek hem recht in het gezicht, zonder enige gêne, met een glimlach die haar aangename verrassing verried. Maar ze trok haar tuinhandschoenen niet uit om hem een hand te geven.

Een paar uur later: 'Ik weet niet of je yankeeluitenant wel zo goed kan dansen als jij beweert, maar hij heeft zonder meer het mooiste mannengezicht dat ik ooit heb gezien. Die fijne, regelmatige trekken, die tere huid... als een perzik, en zulk zacht blond haar dat het wel dons lijkt... Net een meisje. Je zult hem niet lang houden. Al te mooie mannen zijn voor vrouwen een ramp. Verlies gegarandeerd... Die blauwe ogen van hem, mijn god!'

'Zijn ogen zijn groen, moeder. En ik zou weleens willen weten wat voor ervaring u hebt met mooie mannen, dat u er zo over kunt praten.'

'Zelda Sayre, wees niet zo brutaal! Jij hebt je vader niet meegemaakt toen hij jong was. Geloof me, heel wat vriendinnen waren jaloers op me!'

Ik ben een dochter van oude ouders. Dat heb ik met Scott gemeen: allebei kinderen van oudjes. Kinderen van oudjes zijn geschift, zegt Scott.

... Wat verbergen mannen onder hun uniform? Wat

ontlenen ze eraan? Ach, eigenlijk snap ik het wel: wat het uniform voor hen is, dat is precies wat mij ontzegd wordt. Maar ik ga daar niet voor vechten. Dat soort romantiek laat ik graag aan de strijders over: zij mogen de weduwen hebben, en de wezen, en de invaliden. Ze doen hun best maar.

Ik ben een onverzettelijke (maar geen wrede) meid, en nooit zal mijn kersverse, nieuwe verloofde ten oorlog trekken. Jammer dan van zijn soldij of de beloofde onderscheidingen: ik heb andere plannen met hem. Ik zal verhinderen dat hij naar het front vertrekt. Europa, dat komt heus wel. We zullen erheen gaan, maar dan op de brug van de eerste klas. En niet in uniform.

De mooiste nacht van mijn leven

Nu de wapenstilstand is uitgeroepen heeft Scott in Camp Sheridan een rol toebedeeld gekregen die hem goed past: hij is adjudant van generaal Ryan, of eigenlijk se- 1918 cretaris voor diens mondaine activiteiten. Ze vieren feest, overal, aan een stuk door. Gisteren werden de troepen geïnspecteerd. Fanfares en kanonschoten. De hele stad was uitgelopen om de dappere soldaten te zien, die nu werkeloos zijn. Arme Goofo, hij rijdt zo slecht dat zijn merrie hem de eerste minuut van de parade al op de grond gooide, voor de verbijsterde ogen van de generaal. Die had moeite om niet te lachen, zoals iedereen.

Jammer voor Goofo, maar op een paard was de geweldige danspartner een kluns.

Hij beheert zijn balboekje echter zo goed dat de generaal toch nog steeds op hem gesteld is en hem nog meer geld geeft om in de Country Club of elders in de stad prachtige dansavonden te organiseren, waar hij mij mee naar toe neemt – mij, het domme wicht uit het zuiden, dat nog nooit in zo'n elegante wereld heeft vertoefd.

Binnenkort wordt hij gedemobiliseerd, en dan zal hij weggaan. Welke jongeman met ook maar een greintje pit zou in Montgomery blijven, ook al was hij verliefd?

Dit gebeurde vier maanden eerder, op 27 juli: Scott stuurde een rijtuig om me op te halen van Pleasant Avenue, de Rechter trok een wenkbrauw op, Minnie knipte een roos af en spelde die op mijn borst, de koetsier klapte het trapje uit. Terwijl ik door de stad reed in deze calèche uit een ander tijdperk, wist ik niet hoe ik me moest voelen: idioot, beschaamd, onwaarachtig – had ik een verovering gemaakt of was ik alleen maar prinses voor één nacht? Het was mijn achttiende verjaardag, en ik zou de hele wereld toewensen om zo het volwassen leven te betreden. Hoewel, in de galante actie van Scott, waardoor elke debutante zich gevleid zou voelen, school toch ook iets uitzinnigs, iets heerszuchtigs dat me het gevoel gaf een stuk speelgoed te zijn. Ik kan prima paarden mennen, en de koetsier in dat malle uniform vond ik vreselijk; veel liever was ik zelf op de bok geklommen.

Er zaten niet minder dan zeven officieren rond de eretafel van de Country Club, en Scott bekeek hen met een uitzonderlijk trotse en uitdagende overwinnaarsblik. Alle jongens hielden een toespraakje en gaven me een cadeau, en sommigen deden dat met zo veel humor dat we, geholpen door de champagne, voortdurend dubbel lagen van het lachen. We waren al dronken voor de eerste gang op tafel kwam. 'Luitenant Fitzgerald, lieve Goofo, je hebt me de mooiste nacht van mijn leven gegeven.'

Samen zwieren we rond op de dansvloer, we vliegen en komen los van de planken onder afgunstige blikken (ik zie ze niet maar ik voel het, ik weet gewoon dat ze ons volgen, ons achtervolgen bij de figuren die we draaien). 'De schuld van mijn vader,' zegt hij. 'Die heeft me ooit opgegeven voor dansles. Stijldansen, en ook lessen in lichaamshouding, en de beginselen van de etiquette. Weet je, Baby, door allerlei tegenslagen zijn we aan lager wal geraakt, maar daar heeft mijn vader zich altijd tegen verzet. Ook al hadden we het moeilijk of leden we zelfs armoede, wij kregen toch de opvoeding die onze naam vereiste en verdiende. Want de naam die ik draag heeft het land gesticht, ja echt, zet je oren maar eens wijd-open!' En hij begon het volkslied te zingen, dat saaie of eigenlijk sentimentele lied waar ze allemaal zo trots op zijn, die kinderen en ouders van hier in hun zondagse kleren, de hymne die zijn overgrootvader (of oudoom, ik raak altijd de weg kwijt in die verwarrende stambomen van de Ierse migranten) heeft gecomponeerd. Ik wilde de spot drijven met de voorouderlijke dichtkunst

Then conquer we must, when our cause it is just
And this be our motto: In God is our trust

en toen was hij gepikeerd. Wanneer mannen zo hoog-dravend gaan zwetsen, dan weet ik niet hoe ik moet re-ageren. Ik zou het liefst vluchten, onder de grond ver-dwijnen, zoals de salamanders doen in de winter.

Maar uiteindelijk zijn het altijd de mannen die ervan-door gaan. Dat is hun voorrecht: ze verdwijnen gewoon.

. . . .

Die heerlijke avond, geuren van kamperfoelie en blauwe regen, de dronken makende nacht, die herinner ik me nu met gemengde gevoelens van dankbaarheid en gêne. De seksuele spanning was al snel niet meer te harden. Door de alcohol werd mijn blik scherper en opeens zag ik – o, wat voelde ik me opgelaten! – dat die acht jonge-

1940, januari, Highland Hospital

21

mannen voortdurend aan elkaar zaten, elkaar knepen en omhelsden en speelse klapjes gaven, obscene woorden gebruikten en elkaar weer kusten, nu niet meer op de wang maar op de mond, met vochtige smakgeluiden die ze misschien mannelijk vonden, of onschuldig. Mij waren ze vergeten – uit respect, beweerden ze de volgende dag, toen ze een kater hadden en niet goed wisten wat te zeggen.

En diezelfde morgen, toen ik nog niet overdacht had waarom mijn gevoelens zo ambivalent waren, toen ging ik, om Scott te bedanken, naar een juwelier in de stad waar ik in een zilveren zakflacon de volgende Franse woorden liet graveren:

NE M'OUBLIE PAS

De mooie fles zou hem goede diensten bewijzen, een merkwaardig en misdadig cadeau eigenlijk, als ik eraan terugdenk. Scott was hem vaak kwijt en liep dan op zichzelf te schelden omdat hij hem uit zijn jaszak had gehaald en er vervolgens als een bezetene naar op zoek moest. Hij kon in een halfuur tijd een hele hotelkamer of een heel huis ondersteboven keren. Je zag zijn ongerustheid met de minuut toenemen, maar ongerustheid waarover eigenlijk? Angst om een voorwerp kwijt te zijn dat hem dierbaar was, of angst om mis te lopen wat er ín het voorwerp zat: *bathtub gin*, *corn whiskey*, of een ander soort clandestiene *bourbon*?

Vergeet me niet: is dat niet waar het om gaat, in wezen? Je drinkt evenzeer om te herinneren als om te ver-

geten. Voor- en keerzijde van dezelfde, niet zo fraaie me-
daille die 'ongeluk' heet.

. . . .

Ach! Die stilte! De stilte van de tussenliggende periodes.
Het grote wit dat tussenbeide komt en met watten en
ether de scheuren in ons hoofd verbindt.

No football tonight

Scott is in New York, vanwaar hij me al maandenlang hartstochtelijke en merkwaardige brieven schrijft. De ene dag smeekt hij me met hem te trouwen; de week erna beweert hij dat het huwelijk een belemmering zou zijn voor zijn leven als schrijver. Van daaruit gezien, vanuit die elektriserende stad, moet ik hem wel voorkomen als een domme gans, gewoontjes en eenvoudig opgevoed, niet zoals al die droommeisjes daar die stijf staan van de cold cream en gehuld gaan in meters satijn, vrouwen van de wereld met een smachtende blik onder blauwe rookkringels – om de mannen te intimideren hebben ze lange sigarettenpijpjes met gouden mondstukken, die ze in een hoek van hun geverfde lippen geklemd houden.

Komt hij wel, komt hij niet? Ik doe alsof ik niet wacht. Nu de troepen zijn vertrokken ga ik elke avond uit, de voorsteden zijn leeg en de nachten van Montgomery hebben als vanouds slechts trieste provinciaalse pleziertjes te bieden.

Vader wilde me voorstellen aan de ideale schoonzoon, de zoon waarvan hij zelf droomde natuurlijk, hij had immers als zoon alleen maar dat vreemde oudste kind gehad – mijn dode broer – die nul politieke ambitie koesterde en wiens enige roeping, schrijven, totaal geen begrip vond bij rechter en senator Anthony Sayre, onze verwekker.

Ik maakte kennis met hem, die zogenaamd buitenge-woon geschikte jongen, die procureur in de dop met een glanzende carrière in het vooruitzicht, die dacht dat hij mij kon kopen. Zijn kleurloze en ziekelijke voorkomen doet hem eerder op een martelaar dan op een inquisi-teur lijken, en ik durf er mijn hand voor in het vuur te steken dat hij iedere avond na het tandenpoetsen zijn ge-beden opzegt, net als mijn vader en vast ook op dezelfde tijd, dat zalige uur van de dag waarop normale mensen, levende mensen, een drankje nemen in de schaduw van de veranda in afwachting van het moment dat ze aan ta-fel gaan.

'Nou! Geen football dus vanavond!' was mijn moe-ders commentaar toen ze me omhelsde, waarbij ze ken-nelijk dacht aan mijn bevlieging van de afgelopen zo-mer voor de kampioen van de Southern League, Francis Stubbs – een toespeling die alleen zij en ik konden be-grijpen.

Minnie was destijds mijn vertrouwelinge, een rol (macht over mij), waaraan ze hechtte en die ze zorgvul-dig verborgen hield voor de Rechter. Hem op de hoogte stellen zou betekenen dat ze iets van haar macht aan hem moest afstaan.

Nee, het gaat niet alleen om het knappe hoofd en het goddelijke kontje van de voetballer van het seizoen: Min-nie kan het niet laten aan een ieder te laten merken (door de dubbelzinnigheid van haar vaak broeierige blik-ken, haar in de keel gesmoorde lachjes en het hele smachtende verlangen van haar lichaam) dat ze het be-treurt met mijn vader getrouwd te zijn. Voor ons, haar dochters, is het bepaald geen geheim: ooit droomde Minnie ervan actrice en dichteres te worden. Als compensatie organiseert ze nu uitvoeringen in het jeugdhuis, met in elkaar geflanste decors en kostuums van crêpepapier. Vroeger publiceerde de Montgomery Christian Review haar landelijke lofzangen. En wij, de schattige dochtertjes, giechelden achter onze witte handschoenen.

Moet ik gehoorzamen aan mijn moeders dromen? Haar helpen wraak te nemen voor haar teleurstellingen? Ik heb gezegd dat ik bij een huwelijk mijn hart zou volgen. En ik hield van football. Ik banjerde graag rond met de jongens, klom in bomen en balanceerde op de balken van huizen in aanbouw.

De kleurloze jongeman nam me mee naar de Country Club, op vaders voorwaarden: niet te hard rijden, geen alcohol, geen onfatsoenlijke dansen. Zijn auto had niet eens een open dak, en hij reed gekmakend langzaam. 'Sneller, sneller!' De knul stamelde wat, werd rood, maar harder rijden deed hij niet. In de club liep ik Red tegen het lijf, die op weg was naar een studentenavond van de broederschap Zeta Sigma in Auburn. 'Z.S.', ja, een broederschap die alweer twee jaar geleden te mijner ere in het leven was geroepen door vijf footballspelers van wie er twee later nationale topsporters zouden worden. Ik smeekte hem op me te wachten. In een uitstulpende zak van zijn jasje vermoedde ik een zakflacon gin, en die leegde ik in één teug. Bij de eerste ragtime begon ik als een bezetene te dansen, mijn jurk opgetrokken tot halverwege mijn dijen, zo hoog dat je mijn onderrok kon zien en misschien nog wel meer. Het gezicht van de keurige jongeman werd purper en hij sloop snel weg in de richting van de rookkamer.

Alvorens naar Auburn te gaan wilde Red langs de Bocht rijden, *kom op, doe niet zo flauw, gewoon een beetje klooien,* in de bocht sloeg hij het zijweggetje in dat omhoog loopt naar de reservoirs, parkeerde onder een boom, en daar duwt hij zonder verdere omwegen met kracht zijn vuist tussen mijn dijen, als een chirurgisch instrument, *laat je gaan, verdorie, doe die onderrok toch uit, ik weet dat je het met Shawn hebt gedaan.* En ik: *Ik wil niet, Red, laten we gaan dansen, laten we weggaan voordat alle whisky daar op is, en de brandewijn, alles op, haal je hand weg, Red.* Hij: *Geef me dan een zoen, oké?* En uiteindelijk zoen ik hem: ik laat hem zijn lippen tegen de mijne drukken maar die houd ik dicht, hij zet kracht, duwt zo hard dat mijn lippen tegen mijn tanden fijngeperst worden, maar ik doe mijn mond niet open, nee, en dan sluit de hand die mijn hals streelde, die footballershand, zich als een klemschroef om mijn kaak, de pijn in mijn wangen is zo hevig dat ik toegeef, zijn tong lijkt enorm en voelt ruw, de andere hand duikt onder mijn bloesje: *Moet je niet kreunen? Andere meisjes kreunen altijd.* En terwijl ik die klamme, inktvisachtige hand wegtrek van mijn ijskoude borst zeg ik: *Nee, ik ga bij jou niet kreunen, Red. Je bent Irby Jones niet, Irby Jones is zo knap dat ik al gek zou worden als hij alleen maar mijn wang streelde, maar jij niet, jij hebt alleen maar een walgelijke adem en plakkerige handen.* Hij knoopt kwaaiig zijn gulp los en zegt: *Irby Jones is een flikker, die begluurt ons in de douches bij de kleed-*

kamer, en dan grijpt hij mijn linkerhand en drukt die op zijn gloeiende, slijmerige lid: *Toe dan, prinses, kom op Miss Alabama, trek 'm dan af, doe maar alsof het dat tere, geparfumeerde dingetje van die nicht Irby Jones is.* De volgende seconde gaf hij een brul en sprong in allerijl de auto uit. Het interesseerde me geen lor wat hij aan de anderen zou vertellen om zich te wreken: ik ben de dochter van de Rechter. In het handschoenenvak vond ik een pakje sigaretten en een flacon maïsalcohol, die ik beide onder mijn bloes stopte. Toen liep ik terug naar de stad, met mijn schoenen in de hand. Op William Sayre Avenue waren de roze magnolia's al uit. Ze zouden ongetwijfeld sterk ruiken, maar de geur drong niet tot me door – in mijn mond proefde ik slechts alcohol en tabak, en de bittere nasmaak van Reds kussen.

Wat kan mij nu gebeuren in een stad waar één op de twee straten mijn naam draagt? Ik zou hier zonder problemen iedere nacht in mijn eentje kunnen rondzwerven: ik ben de dochter van de Rechter, kleindochter van een senator en een gouverneur. De brave zielen kunnen allemaal kletsen wat ze willen: wij hebben deze stad gebouwd, wij hebben er de eerste monumenten opgericht, en het stadhuis en de kerken. Mijn moeder, verwaand als ze was en niet begiftigd met veel voorstellingsvermogen, hield het niet voor mogelijk dat men zich aan haar dochter zou vergrijpen, ook al gedroeg die zich lichtzinnig. Dat was de paradox van Minnie Machen Sayre: door haar geboorte en haar huwelijk was zij een toonbeeld van goede manieren en legde zij anderen ongeschreven wetten op die alleen zijzelf mocht overtreden of veranderen.

Maar in het diepst van haar wezen, in de droge put van haar verdorde verlangens, wist ze best dat ze niet uit het goede hout gesneden was, dat ze de nodige passie ontbeerde om actrice te worden, zoals Tallulah zich voornam, mijn beste vriendin met wie ik de boel op stelten zette. Tallulah was net als ik een halve jongen, niet bang uitgevallen, en we hebben met zijn tweetjes heel wat kattenkwaad uitgehaald, zo erg dat onze voorouders de pioniers zich in hun graf zouden omdraaien, de gouverneurs en senatoren die zo doorluchtig waren dat ze niet in gewone graven werden begraven maar onder Griekse miniatuurtempels, ja, ze zijn nu dan wel dood maar daarom niet minder lachwekkend en ijdel. Tallulah, die deed wat mijn moeder niet durfde en voor wie de hele familie en alle taboes de pot op konden als het ging om haar droom van het podium en de schijnwerpers, en wat zou het als dat betekende de hoer spelen en die keurige naam Bankhead door het slijk halen, binnenkort zou ze een groots leven leiden, het leven in xxl, op Broadway en op Hollywood Boulevard en weldra zou over de hele wereld in grote neonletters haar snollennaam knipperen:

> TALLULAH BANKHEAD
> IN GEORGE CUKOR'S
> 'TARNISHED LADY'

En al haar tijdgenoten zouden sprakeloos zijn van bewondering, de jonge en de minder jonge, de deugdzame evengoed als de minder fatsoenlijke, horden meisjes en vrouwen met open mond in het donker, door afgunst verteerd zouden ze de levensgrote pop die zij zelf nooit konden zijn met hun ogen verslinden, een heldin die overal koningin was en van land naar land trok op die andere planeet die filmwereld heet, een figuur van het witte doek die tweeslachtig is, die je geweldig vindt maar voor hetzelfde geld kunt verafschuwen, *ze is mooi maar ook een beetje geschift en ridicuul*, een soort fee uit een mislukt sprookje, een fee die te laat kwam en zo het geplande *happy end* liet mislukken, een fee die eigenlijk nergens tegen kon beschermen, niet tegen verloren hoop en niet tegen spijtgevoelens, een fee die maar heel eventjes kwam troosten, een reddingsfee voor een uur of twee, één avondje in de week, zodat je de volgende ochtend met hernieuwde moed je plaats weer inneemt achter de kassa van de supermarkt, of achter de kinderwagen, of juist ja, in het rode bed van het bordeel.

Ze stonden in het donker op de veranda. Ze waren vast door de voormalige ideale schoonzoon op de hoogte gesteld van mijn escapade – ontsnapping was een beter woord. Toen ze mijn voetstappen hoorden, deed vader de lamp aan. De arme rechter had zijn houding van geslagen hond aangenomen maar straalde ook een soort afgrijzen uit. Minnie scheen zich opeens te herinneren dat er toch *grenzen* waren. Achttien jaar lang was ik haar grote trots geweest; mijn schaamteloze gedrag en mijn brutale mond deden haar de rug rechten en genieten van een heimelijke fierheid, in weerwil van de kletspraatjes. Maar die morgen was dat omgeslagen in schaamte. 'Wat heb je met je witte handschoenen gedaan?' Schou-

derophalen. 'Kom hier. Doe je mond open en adem uit!'
Ik dacht aan die klootzak van een Red, aan zijn bittere
tong die zich mijn mond binnenwrong, aan die andere
mond van mij, lager, waar de vingers van Shawn zich
naar binnen gedrongen hadden, een mond die veel ge-
heimzinniger en begeerlijker was dan de delta van een
vijandig continent.

De rivier de Alabama die 312 mijl lang is, ontspringt in
Wetumpka dat lange tijd Fort-Toulouse werd genoemd van-
wege de Franse kolonisten en mondt uit in de Golf van Mexi-
co Haal die rotvingers van je weg, Red, of ik zorg dat je in
de gevangenis moet slapen *na een delta gevormd te hebben*
in Mobile Daar is het zo mooi, bij Mobile, *zei Irby Jones*
Op een dag neem ik je mee ernaar toe *Als Irby Jones nu*
maar   Nee, Irby Jones speelt geen football op zaterdag
Irby Jones gaat 's zondags niet naar de ranch   Hij leest
Franse romans die hij me daarna leent, onfatsoenlijke ro-
mans   Geweldig

Die ochtend vond ik onder mijn deur een briefje van
mijn hypocriete moeder ('Alle moeders zijn victoriaans,'
zei Scott altijd): 'Als je behalve sigaretten roken nu ook
nog whisky gaat drinken, dan kun je je moeder wel vergeten. Als je je zo nodig als een slet moet gedragen...' en-
zovoort.
Het is verboden te roken – maar mijn moeders familie
heeft wel haar hele vermogen te danken aan de tabak.
Eindeloze tabaksplantages, tot Virginia en Maryland aan
toe. Ik ben de dochter van de Rechter, de kleindochter
van een senator en een gouverneur: ik rook en ik drink
en ik dans en ik ga om met wie ik wil. De jonge piloten

van de basis vochten om mijn aandacht en als ik hun toe-
stond met me te dansen, zag ik hun gouden wangen
zich vullen met kleine kuiltjes, als sterren. Er waren er
twee die in stoutmoedigheid niet voor elkaar onder wilden doen, soms verlieten ze met hun tweepersoonsvlieg-
tuig de voorgeschreven militaire koers en stuurden dan
aan op Pleasant Avenue. Als ze boven onze tuin waren,
maakten ze figuren in de lucht, loopings, duikvluchten
en hele omwentelingen – en dat was allemaal zo grappig, zo vreselijk opwindend en ridderachtig, zelfs Minnie was trots op de eer die haar blonde popje ten deel viel.
Op een pechdag, of misschien kwam het gewoon door
vermoeidheid, viel de dubbeldekker in een spiraal omlaag, en alle tuinen in de buurt hielden hun adem in totdat verderop, voorbij de buitenwijken, de korte klap van
de crash te horen was. Een lange steekvlam schoot omhoog tot ver boven de daken. Twee jonge lichamen gingen in rook op met een zwarte stank van kerosine – twee
jeugdige lichamen die de avond tevoren nog op hun lange benen hadden staan dansen met een glimlach op
hun sterrenwangen en die lekkere verzorgde jongeman-
nengeur van soepel leer en pure zeep en frisse eau de co-
logne; door de inspanning raakte hun voorhoofd be-
zweet en kreeg hun lichaamsgeur de overhand, een verwarrende geur van primitiviteit waarin ik me koesterde,
in hun armen geklemd, beschroomd, dronken en gelukkig.

Hun verbranding duurde twee minuten – een blik-
sembrandstapel, snel en stoutmoedig, net als de twee
jongemannen die erdoor verteerd werden. Het schijnt

dat ik toen een aanval heb gekregen – de eerste – en dat ze me morfine moesten geven om te kalmeren.

Sinds het ongeluk wordt overal in de stad rondverteld dat ik een duivelin ben, met een blond hoofd. Zwart en goud, ja.

Ik ben een salamander: ik ga dwars door de vlammen heen zonder me ooit te branden. Vandaar mijn naam, want Minnie was ooit dol geweest op een papieren Zelda, een heldin uit een vergeten roman die *De Salamander* heette – en die Zelda was een trotse zigeunerdanseres.

Vanochtend kreeg ik met de post een piepklein pakje waarin een verlovingsring zat die een eeuw oud was, een ring die hij waarschijnlijk van zijn moeders vinger heeft getrokken om hem aan mij te geven. Het schijnt dat jongemannen dat doen, hun moeders kaalplukken om hun verloofden aan te kleden. In het bijgaande briefje had Scott geschreven: 'Vandaag ook mijn officiële verzoek aan je vader verstuurd.'

De Rechter zei er niets over.

Koningin van de boerenpummels

Zoals ik al zei, de yankeeluitenant zweet nooit. Hij ruikt alleen maar schoon, een lekkere geur van nieuwe spullen en van luxueuze, zachte stoffen. Het lijkt wel alsof die man plantaardig is, en de regen op zijn huid een soort tedere dauw.

1919, juni

Aangezien hij uit de streken van de kou en de Grote Meren kwam, was ik eerst bang dat hij last zou hebben van de vochtige, drukkende warmte, de hitte van Alabama waar de mensen uit het noorden en het middenwesten altijd zo van te lijden hebben. Maar nee. Nooit klaagt hij over de verstikkende warmte, hij heeft het niet benauwd en hij transpireert niet.

Alle mannen worden gedreven door hun lichamelijke behoeften en een dierlijke aantrekkingskracht, hebben vader de Rechter en vader de Eerwaarde mij gewaarschuwd ('Beesten', zoals Auntie Julia kortweg samenvat, terwijl ze mijn blouse verder dichtknoopt, en mijn oude kinderjuf weet daar van mee te spreken, van brute, overspelige echtgenoten). Is de luitenant een echte man, of alleen maar een droombeeld? Houdt dat soort mannen hun woord? Kan je echt op ze vertrouwen als het erom gaat een of andere toekomst op te bouwen? Hij had gezworen binnen zes maanden beroemd te zijn en beladen met dollars naar Montgomery terug te keren. Maar zijn roman vindt bij geen enkele uitgever waardering. Hij heeft hem 'De romantische egotist' genoemd, een

onmogelijke titel, ook al is die wel van toepassing op
hemzelf, op ons, op onze jeugd. Natuurlijk luistert hij
niet naar mij: alleen de pluimstrijkerijen van Winston
en Bishop, zijn toneelmaten van Princeton, zijn van belang. Ook zij willen schrijven. Wat hebben ze toch allemaal, die knullen, dat ze schrijver willen worden? Rijk
en beroemd worden lijkt me mooi genoeg!

Als er morgen geen brief komt – al dan niet in literaire bewoordingen – of een telegram waarin duidelijk
staat 'Ik trouw met je', met een datum, dan verbreek ik
onze verloving. Zijn afwezigheid, en de lawine aan te-
genstrijdige brieven die daaruit voortkomt, hebben mijn
geduld lang genoeg op de proef gesteld.

'Mijn lieve Baby, ik denk veel aan je, dat weet je best.
En ik werk als een gek, zodat je trots op me zult kunnen zijn, en je mij eindelijk zult accepteren. Overdag maak ik aan de lopende band waardeloze teksten voor reclamebureaus, en ik ben al gelukkig als
een van mijn stupide slagzinnen geaccepteerd
wordt; 's nachts schrijf ik verder aan mijn roman,
en ik stuur ook korte verhalen naar kranten. In zes
maanden, Baby, heb ik zo veel brieven met afwijzin-
gen gekregen dat als ik ze aan de wand van mijn kamer vastprik, drie van de vier muren bedekt zijn.
Echt, ik overdrijf niet, en ik heb niet gedronken,
want dat heb ik je beloofd. Het is gewoon waar, de af-
wijzingsbrieven komen met honderden tegelijk binnen. Maar toch heb ik goede hoop. Ik stap pas op de
trein naar Montgomery de dag dat mijn boek wordt

uitgegeven, en dan heb ik voor jou een gedrukt bewijs van het misdrijf bij me. Ik hoop dat je dan beter over me zult denken, en dat je zult weten hoe ik je nodig heb.

Je Fitz.'

'Lieve Goofo,
Je hoeft niet zo veel moeite te doen alleen voor mij hoor. Ik verbreek onze verloving. Ik heb op het ogenblik drie aanbidders en een van hen belooft met me te trouwen en me mee te nemen waarheen ik maar wil. Morgen als ik zou willen.

Madame X.'

'Hou toch op jezelf voor de gek te houden, Zelda Sayre!
Ingerukt mars!, dat zeggen ze in het leger. Maar dit is gewoon een fase, iets tijdelijks, een overgang. Ik kom je halen, dat zul je zien. Het zou me niets kunnen schelen als je doodging, maar ik kan niet verdragen dat je met een ander trouwt. Vooral niet met dat verwende joch Sellers jr. Ik weet van je zus dat hij groot en sterk is, en dat hij dat dierlijke heeft waar vrouwen op vallen. En bovenal is hij rijk, neem ik aan, met al die katoen van zijn vader! En jullie doen het zeker op de achterbank van zijn auto? Hoe origineel! Hoe smaakvol!
Wanneer ik beroemd ben – en binnenkort is het zo-

ver – dan zal hij voor jou alleen nog maar een verve-
lende herinnering zijn.

Je schoft die van je houdt (jij bent geen haar beter).
PS Ik weet nog wel dat je tegenspartelde en piepte,
de eerste keer dat we het met elkaar deden, maar je
bent een slechte actrice, erg naïef ook, en ik heb
heus wel gemerkt dat je geen maagd meer was.'

*

Zes dagen zijn voorbijgegaan zonder een teken van leven.

Die man lijkt niet te weten wat zweet is, maar kent
misschien ook geen tranen, concludeerde ik, nog steeds
in de ban maar toch ook ongerust.

Op drie universiteitscampussen ben ik gekozen tot
koningin van het jaar: die van Alabama, van Georgia en
van Sewanee. Twee jaar geleden zou dat me vreselijk
hebben opgewonden en had ik me gevleid gevoeld.
Maar nu? Ach... Na afloop van het eerbetoon op de Sewanee campus wilde John Désiré Dearborn me naar
huis brengen. We hielden halt bij de Bocht. Hij is erg
verlegen en onhandig: hij wilde me een kus geven,
maar die kwam op mijn linkeroor terecht. 'Toe nou,'
smeekte ik, 'jij bent oké. Gedraag je nou niet net zo als
die anderen.' Zijn gezicht werd plotseling bleek en met
gespannen kaken zei hij: 'Je wacht zeker op hem, hè?
Wacht je tot die yankee van je terugkomt? De schrijver
van je dromen? Poeh, alleen in je dromen.' Ik zei: 'Ja, ik

wacht op hem. En ja, ik heb er genoeg van om te wachten. Ik heb geen zin meer om me van de dag naar de nacht en van de nacht naar de dag te slepen, in die plakkerige lucht. Ik stik. Die vochtigheid... Dat stof dat op je huid plakt... Ik heb zelfs astma-aanvallen, weet je wel dat op weinig plaatsen de lucht zo moeilijk in te ademen is als hier?

– Trouw dan met mij. Dan neem ik je voor onze huwelijksreis mee naar de Noordpool, en dan zal een tovenaar in bontvellen je voorgoed van je astma genezen.

– Dat is lief van je, John D., en je bent ook grappig. Maar waarom willen jullie toch allemaal met me trouwen? Als ik een man was – als ik niet als vrouw verplicht was te trouwen om een plaats in de maatschappij te krijgen –, als ik een vent was, dan zou ik echt niet trouwen.

– Maar jij wacht op hem. En je gaat met hem trouwen.

– Ach... ik houd eigenlijk al niet meer van hem zoals in het begin. Zoals vorig jaar. Ik vraag me zelfs af of ik van hem heb gehouden in de zin van wat de meeste mensen verstaan onder "houden van". Maar de afstand beangstigt me. Als hij ver weg is lijkt het wel of onze liefde verbleekt, aan alle kanten afbrokkelt, of alles binnenkort slechts een leeggelopen ballon is, een verloren illusie. En wat ik dan voel, als ik los van hem ben, dat is vreselijk.

– Ik zou er altijd en altijd zijn, ik zou je gelukkig maken, gelukzalig, nog veel stralender dan vandaag.

– Als het je om neuken gaat, laten we dat dan nu maar even doen.

– Zo mag je niet praten, Zelda Sayre. Dat klinkt heel lelijk uit de mond van een jongedame.

– Nou, ik geef er geen zier om, het doet alleen maar pijn. De eerste keer deed het zo'n pijn dat ik flauwviel. Dat was met Sellers jr., de erfgenaam ja, in een rokerige kamer van Zeta Sigma. En daarna heb ik het met de yankeeluitenant gedaan, twee jaar later. Ik weet eigenlijk niet meer of ik pijn had of niet. We waren allebei dronken. Maar toen ik wakker werd, bloedde ik. Als je wilt kan jij de derde zijn. Dan val je me tenminste niet meer lastig met dat stomvervelende "trouw met me".'

Doodsbleek, met een gebroken stem, zei hij: 'Ik ben misschien niet de mooiste en niet de allerslimste, Zelda Sayre, maar ik het is niet zo dat ik geen hart en geen trots heb. Gebruik mij niet om met je verloofde te breken.' Hij zweeg even, en ging toen met een fermere stem verder: 'Trouwens, als het je erom te doen is de wereld in te trekken, dan kan je beter de yankee kiezen. Die zal die dromen van je voeden. Wat mij betreft, ik ga nooit weg uit ons zuiden. Het is het beloofde land, het edelste, schoonste en dapperste land dat er in de wereld bestaat.'

'Amen,' besloot ik. In de vochtige ogen van John Désiré Dearborn las ik als in een spiegel dat ik een monster was.

En de volgende dag schreef ik aan Scott. Vertelde hem dat ik ging trouwen met Francis Stubbs die op de voorpagina van alle kranten staat en een vermogen gaat verdienen met het nationale kampioenschap. 'Grappig dat jullie dezelfde voornaam hebben. Maar daar houdt de gelijkenis dan ook op.'

Stubbs neemt me in zijn auto mee naar Atlanta en laat me zien wat voor huis we krijgen in de rijke wijk

Buckhead, waar we buren zullen zijn van de gouverneur. En naar Georgia, daar is alles nog grootser en statiger. De gouverneur woont in een wit paleis met rondom antieke zuilen. Achttien zuilen, als ik goed heb geteld.

Ons toekomstige huis, dat van Stubbs en mij, heeft er al acht.

Een wervelwind

Ik heb gisteren in de *Smart Set* je eerste korte verhaal gelezen. Je zult wel trots zijn Fitz, lieve Goofo. Jammer alleen dat je er op de foto werkelijk niet uitziet.

1919, augustus

Je mooie gezicht helemaal vertrokken in een aanstellerige grijns als een actrice, je haar strak van de brillantine: ik herkende je nauwelijks. De kringen onder je ogen weggeschminkt, te veel grijze schaduw op je oogleden en te veel zwart potlood onder je wimpers. Waarom moet je die grote heldere groene ogen met zwart potlood bewerken? Wat is dat voor onzin? Laat de mascara en al die vrouwenspullen toch aan mij over.

Je zou wat meer waardigheid moeten tonen, Fitz, vriendje van me. Laat toch niet zo met je sollen, tenzij je het leuk vindt, misschien, om voor stomme pop te spelen. En wat was dat voor ijdeltuiterij, vorig jaar, toen je geen cent op zak had, om naar de duurste kleermaker van New York te gaan en er een uniform te laten maken? Je zegt wel dat ik een wervelwind ben, maar zelf lijk je me een dollarverkwister, zo'n playboy uit een goktent. Moet een man de oorlog voor zichzelf verzachten met kleren? En dan nog wat, waarom ben je toch zo keurig? Waarom neem je me 's avonds niet mee in de auto? Wat stroomt er eigenlijk door je yankeeaderen? Limonade? Vind je me niet aantrekkelijk? Ben ik lelijk en onbehouwen, of ben jij een tweede Irby Jones?

Ik heb tegen moeder gezegd dat je binnenkort de beroemdste schrijver van het land zult zijn en daarna de beroemdste schrijver van de wereld. Moeder zei dat ik gek was.

Die beschimmelde magistraat die ik vader moet noemen heb ik uitgebreid ingelicht over de precieze bedragen van je eerste inkomsten bij de kranten en de reclamebureaus, zodat hij me niet meer kan voorhouden dat ik mijn ondergang tegemoet ga. Wat een zeikerd is die man toch, vreselijk.

De dag dat ik mijn haar kort laat knippen als een man, zoals ik me heb voorgenomen, ook al vind jij het niks, de dag dat mijn blonde krullen – waarmee ik zo'n echt zuidelijk tutje ben – een vroegtijdige dood sterven, op die dag verheug ik me, alleen al bij de gedachte aan mijn vaders gezicht, hoe hij zal kijken met zijn mond open, lijkbleek, en zijn geklaag en gejammer, de beledigingen die hij stamelend zal uitbrengen, om ze daarna in te slikken.

Ik ga ook dat belachelijke korset losknopen en weggooien. Hij zal sterven van schaamte – dat is wel het minste wat hij kan doen, maar eerst zal hij vast nog de goegemeente smeken me te vergeven voordat ze me gaan stenigen.

Ga je met me trouwen? Wil je het echt? Zo ja, schiet dan op. Je doet wel net alsof je voor me op je knieën ligt, maar ik zie andere mannen die veel overtuigender zijn dan jij. Ik wil weg, weg uit dit afschuwelijke paradijs. Eden – het is dat jij het zegt, want voor mij is het een kerkhof voor mijn toekomstdromen.

Ik weet best dat wij wat meer geld hebben dan de meeste mensen – en dat jij, dat jouw familie fatsoenlijk is, niet echt arm, maar gewoon krap bij kas. Voor die dingen vinden we wel een oplossing. Discussie gesloten!

Natuurlijk ben ik niet serieus als ik hem bespot: ik heb foto's gezien van Lawrence of Arabia, en ik moet erkennen, zonder bevooroordeeld te zijn, dat Fitz sprekend op die wondermooie kameelrijdende avonturier lijkt.

. . . .

Mijn grootmoeder Sayre werd tijdens een drijfjacht gespietst door een hert. Ik geloof niet dat ik het u ooit verteld heb. Mijn grootvader de gouverneur liet in het hele gebied de drijfjacht verbieden, en de mensen begonnen mijn familie te vervloeken. De reeën gedijden, de hertengeweien beschadigden de jonge bomen, de dieren trokken als wraakzuchtige vernielers van de ene naar de andere plantage, ze namen wraak op de mensen die hun bossen hadden vernietigd om er velden van te maken waar reeën en herten niets te zoeken hebben: katoen, wie eet er nu katoen? (En als het geen katoen is, is het tabak.)

1940,
Highland
Hospital

Toen ik klein was, fantaseerde ik dat het moorddadige hert nog steeds in de omgeving rondspookte en dat aan elke kant van zijn gewei een oorbel van Granny was blijven hangen. En dat hij me als ik braaf was de oorbellen zou teruggeven en me zou meenemen op zijn rug, heel ver van ons treurige zuiden en van deze akelige provincie vandaan.

. . . .

Ik kreeg gisteren een telegram: uitgeverij Scribner heeft zijn roman geaccepteerd! Ze hebben alleen de titel veranderd, dat lijkt me ook veel beter. Een tweede novelle zal morgen in de *Saturday Evening Post* gepubliceerd worden. Het succes zit eraan te komen, dat geloof ik nu wel.

Met jou, Goofo, ben ik nergens bang voor. Ik weet zeker dat we waanzinnige dingen gaan doen. Je zult me meenemen naar het noorden, naar de steden van je jeugd, Buffalo, en Niagara, en samen zullen we ons in de watervallen storten om te zien wie het er het beste uit tevoorschijn komt. Natuurlijk ben ik dat want ik ben licht en veel fitter dan jij, mooie onhandige Princeton-jongen die je bent!

Het lijkt alsof ik de spot met je drijf, ik kan het niet helpen. Als je eens wist hoeveel ik van je houd tussen twee sarcastische opmerkingen door. Hoe... ik je mis.

En ik vind het een mooi idee om te trouwen precies op de dag dat het boek in de winkels ligt. Het zal dubbel feest zijn. Een eindeloos feest.

Suite 2109, Hotel Biltmore, NYC

Minnie had gezegd: 'Je gaat toch niet echt met die jongen trouwen?' Toen ze het platina armbandhorloge met diamanten zag werd haar gezicht vuurrood, haar dikke wangen trilden en haar boezem rees van woede. Ze leek wel een opgeblazen kalkoen. 'Wat voor soort leven kun je nu verwachten van een alcoholist...! een losbol...! een dilettant...! De zoon van een zeepverkoper die de laan uit gestuurd is!'

Ik zei: 'Een jongeman die zijn verloofde zulke cadeaus kan geven zou ik toch niet echt een dilettant noemen. Hollywood heeft voor de rechten van zijn korte verhalen een klein vermogen neergeteld.'

Zij: 'Hollywood! Onnozel kind! Van diamanten en aanstellerige fratsen kan je niet eten hoor. Hoe kom je toch aan zo'n vulgaire geest?'

Ik: 'Zijn moeder heeft nog wat geld.'

Zij: 'Net genoeg om de schijn op te houden, daarginds. Maar niet om in de maatschappij van hier te verkeren.'

Ik: 'Nou, dat is van geen enkel belang, want ik ga toch weg.'

In de ogen van mijn moeder zag ik hoe ze me de oorlog verklaarde. Het nieuws over mijn minderwaardige huwelijk werd overal in de stad rondverteld en met zijn waanzinnige intuïtie had Scott dat zonder één vraag te stellen geraden, de dag dat hij op het station aankwam om me op te halen. Ik stapte in dezelfde trein, die direct weer naar New York terugging. Al mijn vriendinnen waren op het station (ze hadden gefloten van bewondering toen ik ze het horloge liet zien en smachtend gekeken toen ze de foto van Scott in de *Post* zagen, in een ovaal kader boven zijn eerste novelle met de verontschuldigende titel *The Lost Children*, ze hadden me een groot boeket rode camelia's gegeven en Auntie had met zorg een krans van gardenia's in mijn haar vastgezet. Ja, mijn kinderjuf was er, en al mijn vrienden waren er, en ook Shawn, en Irby Jones, om te laten zien dat ze altijd van me zouden houden, waar ik ook was, zelfs als ik de weg zou kwijtraken. Maar mijn ouders waren er niet, en mijn zussen ook niet.

Met zijn groene ogen keek Scott me vragend aan. Ik schudde mijn hoofd. Hij werd helemaal rood, zijn gezicht kleurde purper, ik dacht dat hij een beroerte zou krijgen of zoiets. Hij klemde zijn kiezen op elkaar en zijn groene ogen werden ijzig. Een failliete vader zonder werk, een nietsnut van een vader die leeft op de zak van zijn schoonfamilie. Arme meid, dieper dan een huwelijk met dergelijk uitschot kun je niet zinken.

Ik weet niet veel van Scotts pijn, maar wel merk ik een soort schaamte, die aan zijn huid lijkt te kleven. Ik heb geen idee wat je voelt als je aan lager wal bent geraakt en je vanuit de armoede weer wilt opklimmen in de wereld van de rijken. Zijn moeder had haar spaargeld gebruikt om hem naar een privéschool te sturen. Hij had een goede vriend, Tom, die hem in een limousine met chauffeur kwam ophalen als ze naar school gingen, en Francis moet wel duizelig zijn geworden van het verlangen weer een plaats in die kringen in te nemen. Met Tom ging hij ook naar dansles en naar een cursus lichaamshouding, op de Summit Avenue, waar de elite van Saint Paul, Minnesota, haar pukkelige nakomelingen heen stuurde om er de wals en goede manieren te leren.

. . . .

Ach, Goofo! Mijn lieverd, mijn dwaas! We leken zo veel op elkaar, hij en ik, al vanaf onze geboorte, twee mondaine dansers, twee kinderen met oude ouders, twee verwende, onhoudbare kinderen, allebei middelmatig op school, een briljant duo van 'kan beter', twee onverzadigbare schepsels die gedoemd waren tot teleurstelling. *Kerstmis 194*

We hadden zo veel dingen gemeen. In een interview in de *New Yorker* zei die oude brave Wilson gisteren dat onze fysieke gelijkenis wel het meest merkwaardige van alles was. 'Nog voordat ze getrouwd waren, leken ze al familie van elkaar,' zei Wilson. 'Als broer en zus. Bizar, een van de vele ongewone dingen bij hen.'

Ikzelf had dat nooit opgemerkt, maar ik herinner me wel dat ik, toen ik op een avond in onze suite in het Algonquin Hotel mijn toilet maakte, met behulp van een hele tube brillantine mijn haren strak naar achteren had gekamd met een scheiding in het midden, en toen een pak van Scott had aangetrokken (het was zijn kostuum voor de officiersmess, geloof ik, een blauwe smoking met zilveren draden door de revers gestikt, de naad van de broek met een satijnen bies afgezet en knopen waarin de imperialistische adelaar gegraveerd was). Vervolgens had ik een zwarte das omgeknoopt die ik op mijn blote huid droeg. Het pak paste precies, met mijn smalle heupen en platte jongensborst zat het als gegoten; het eindeloze decolleté voelde duizelingwekkend. Voor het eerst in Manhattan had ik het gevoel een sexy vrouw te zijn, een seksbom, een vrouw waarmee je gek van trots uitgaat en gek van verlangen huiswaarts keert – totaal niet meer het wereldvreemde gansje uit de provincie. De aanwezigen stonden versteld en hadden allemaal geapplaudisseerd, sommigen waren zelfs een beetje in verwarring, want ik kon goed andere mensen nadoen en ik imiteerde wat gebaren en gezichtsuitdrukkingen van Scott. Hijzelf kon mijn stunt nauwelijks waarderen: Scott zag mij het liefst als een snol met een zekere aristocratie, een del met een scherpe geest, dat was voor hem de beste garantie om op de covers van de bladen te komen. Waar Scott van hield, wat hij wilde, dat was zijn Southern Belle. Geen travestiet als zijn evenbeeld.

*

Hij was amper drie centimeter langer dan ik (wat hem in zijn wedijver met de vliegeniers van Sheridan tot wanhoop dreef – zo rijzig en atletisch als die waren – om het maar niet te hebben over de enige werkelijke rivaal die hij zou moeten duchten, die reus van een Eduard die twee koppen groter was dan hij). Als ik mijn hoge hakken aan had, torende ik duidelijk boven hem uit. Een verborgen en onvermoed stemmetje in mijn binnenste rees op vanuit god mag weten welke voorouderlijke diepten (ja, wat was het eigenlijk? een oeroude les van het lichaam die zich aan de herinnering opdringt? of het evangelie van de heilige vaas, de ontheiligde vaas die het Eeuwig Vrouwelijke wordt genoemd?), de zachte stem van onze voorouders dus fluisterde me in: 'Krom je rug, buig voorover, wacht je ervoor de mannelijke trots van je echtgenoot te kwetsen, hij is nog lichter geraakt dan een klein meisje.' En naar die hinderlijke stem voegde ik me.

Zeven jaar later was Ljoebov Jegorova de eerste wie het opviel toen ik in haar studio weer met dansoefeningen begonnen was, mijn tenen bloedend in mijn spitzen: 'Zeg, wat is dat, die kromme nek, en die gebogen schouders? Je moet plat op je voeten lopen en je oprichten. Rug recht en kin omhoog, dat is toch wel het minste!' Ik stopte met het dragen van hoge hakken en liep voortaan op schoenen met platte zolen, niet erg opwindend maar wel comfortabel voor de pijnlijke voeten van een oude danseres van achtentwintig.

Waarom moeten we altijd rekening houden met die mannen, alsof het soldaten van kristal zijn?

Saint-Patrick's Cathedral, Fifth Avenue, New York

'Op de wang, bruidspaar? Weten jullie het zeker?' grapte de bisschop.

Scott had die ochtend een akelige whiskyadem, en we keken elkaar aan zonder elkaar te kussen, en Scott lachte omdat hij de rol van de man had en dat vond hij werkelijk absurd, om de man te spelen, dus keek hij ons uitdagend aan, mij en de bisschop: 'Oké, ik zal wel knielen.' En toen hij op zijn knieën lag fluisterde hij me toe: 'Ik haat je als een kerel. Ik aanbid je als mijn vent.'

'Amen!' brulde de menigte in Saint-Patrick's Cathedral. 'Moge God deze verbintenis zegenen,' zalfde de bisschop. De kerk vibreerde van gelach, mijn trommelvliezen gonsden onder het handgeklap, ik raakte door een duizeling bevangen.

Op de stoep werd ik ook nog eens verblind door het flitslicht van de fotografen. Maar dat was nog niets. Alleen maar een veelbewogen begin, een indruk – een voorproefje van de totale verblinding. De lucht boven Fifth Avenue was evenmin teder gestemd: grijswit, vuilwit, metalig wit, als een grote leegte.

In de limousine omvatte Scott mijn schouders en drukte zijn vochtige lippen op mijn oor: 'Baby is boos. Baby is zo mooi als ze boos is.' (Ik duwde zijn mond weg en daarmee zijn adem.)

Scott opende de minibar en schroefde de dop van een

fles bourbon die hij me aanreikte als aan een kameraad. Ik dronk uit de fles, zoals kerels doen. Ik voelde me plotseling – hoe moet ik het zeggen? – misplaatst, absurd en onecht in mijn witte kant, onder mijn witte tule: alsof door mij de plechtigheid één grote verlakkerij was. Scott had niet gevraagd of ik nog maagd was. Ik had dat opgevat als een ridderlijk gebaar, of eigenlijk meer als een bewijs te meer van zijn teleurstellende elegantie, omdat het een pijnlijke vraag was om te stellen en het antwoord, ja of nee, alleen maar twijfel zou oproepen.

Maar toen, in mijn lange ivoorkleurige jurk, onder het witte schuim van de sluier die ik zo goed en zo kwaad als het ging afdeed terwijl ik vocht met de warboel van spelden die de modieuze Franse kapper in mijn hoofdhuid had geprikt die hij eerst met een krultang verbrand had, toen eindelijk begreep ik dat het Scott geen zier kon schelen of ik nog maagd was of niet. Ik keek hoe hij aan de fles lurkte met zijn ogen half dicht, zijn profiel glimlachend tussen twee teugen in. *Het pad zal niet over rozen gaan.* Nauwelijks had ik dat bij mezelf gezegd of de auto remde en het portier ging open, maar het was geen asfalt waar ik op stapte: voor mijn witte schoenen ontrolde zich een lange rode loper. Ik wachtte tot Scott om de auto heen gelopen was, uitgelaten en onvast op zijn benen. Ik legde mijn kanten hand op zijn arm en samen liepen we door de erehaag heen. Nog meer flitslicht, weer handen die applaudisseerden. Ik huiver. Een zwarte sluier. Mijn knieen begeven het, ik verlies het bewustzijn, ik val. En al die monden, gekarteld, zonder stem. Monden van lawaai.

. . . .

'In het wit?' echoot de jonge dokter die op Irby Jones lijkt
– dezelfde grote hemelsblauwe ogen, dezelfde dikke
zwarte wimpers, en zo'n marmerwitte huid, bijna griezelig, alsof al het bloed uit zijn gezicht zich in zijn rode
lippen heeft verzameld. 'Weet u het zeker? Ik meen me
toch te herinneren dat u zich in een vorige sessie erover
beklaagde dat u inderhaast was getrouwd...'(Hij bladert
terug in zijn aantekenboekje:) 'Zonder plechtigheid, zei
u, "als een dievegge" waren uw exacte woorden.'

Zonder feest en zonder mijn ouders. De Rechter en
Minnie hadden zich niet verwaardigd over te komen. Bij
dit huwelijk was alles en iedereen tegen hem: Scotts
vrienden keurden het evenzeer af als mijn familie. Ik geloof dat mijn jurk blauw was. En mijn hoed ook. En onder de hoed waren mijn haren *echt* verbrand door die
stomme Franse kapper. En in de taxi, na de plechtigheid,
had Scott *echt* een fles bourbon geopend waaruit we
dronken – ik kan de misselijkmakende smaak nog op
mijn tong proeven. Hoe het restaurant was weet ik niet
meer. Waarschijnlijk net zo'n nikstent als alle andere.

'Maagd?' vraagt de arts verder. 'Maar hij had u toch
abortuspillen gestuurd, zes maanden voor uw trouwen?
Hoe kon u nu een abortus plegen als u nog maagd was?'

– Ik heb zijn pillen geweigerd. Heel resoluut, ik walg-
de van mezelf. Ik vroeg hem of hij soms dacht dat ik een
hoer was. Ik zou me een hoer gevoeld hebben als ik ook
maar één van zijn pillen ingenomen had. Dat was onze
eerste ruzie.

– En het kind dan?

– In de tijd tussen de dag dat ik hem in New York

schreef over mijn ongerustheid en de dag dat ik als antwoord het zakje pillen ontving, was ik weer ongesteld geworden. Vreselijk ongesteld. Ik wist dat ik niet zwanger was.

– Dan liegt u dus. Toen u daarover ruzie met hem maakte, loog u.

– Ja, ik lieg, net als 99,99% van alle mensen op deze planeet.

– Dat noemen we manipulatie.

– En ik manipuleer, ja, net als 99,98% van de aardbewoners.

– Bent u daar trots op?

– Nu is het genoeg! Mijn echtgenoot betaalt u niet om me te beledigen. U bent zo ongeveer de dertigste psychiater in tien jaar die probeert mijn geval te genezen. Als ik allebei de continenten tel bent u de vijftigste. Laat me maar terugbrengen naar mijn cel.

– Uw kamer, mevrouw.

– Mijn cel. Ik weet wat ik zeg. *Dokter.*'

. . . .

We werden het Biltmore uitgegooid vanwege onfatsoenlijk gedrag. Vervolgens namen we onze intrek in het Commodore Hotel. Heel Manhattan kwam langs in *1920* onze suite, dag en nacht, en we maakten zo veel lawaai en veroorzaakten zo veel opstoppingen in de lift dat het Commodore op zijn beurt ons eruit zette. Met een gerechtelijk bevel om de schade te vergoeden van de gaten die door de sigaretten in het tapijt gebrand waren.

Scott moest weer aan het werk en ik moest mijn biologische plicht vervullen: ik was zwanger van mijn eerste kind. Toen hebben we dat buitenhuisje in Westport gehuurd. In het begin kwamen de vrienden uit Manhattan over voor het weekend, en nauwelijks waren ze gearriveerd of ze schuimden met zijn allen de cafés van de naburige dorpjes af, die vroeger zo vredig waren en tegenwoordig zo lawaaiig. Door de week dronk Scott niet, we hadden vaak ruzie over een futiliteit. De ellende tussen ons is daar begonnen, in dat mooie huis aan zee dat alles in zich had om een huis van geluk te worden. Ik zwom in de Sound, urenlang. Ik probeerde Japans te leren met Tanaka, onze huisknecht. Maar het was te moeilijk, het ging te langzaam, ik had er het geduld niet voor. Ik ging naar Scott toe in zijn werkkamer die uitkeek over de oceaan, en zei: 'Jij kan toch Frans spreken?'

– Mwah. Zo'n beetje. Hou je op met Japans? Niks voor jou om op te geven. Als je Frans wilt leren kan je mijn Rosenthal-methode wel gebruiken. Die ligt nog ergens in Princeton.

Aan zijn gespannen rug zag ik dat ik hem ergerde. Verbazingwekkend hoe expressief een rug kan zijn – hoe iemands strakke nek kan zeggen *Ik houd niet meer van je* als het gezicht dat nog niet kan.

'Dat leer ik daar wel.'

– Hoe dat zo?

– Laten we 'm smeren naar Frankrijk.

Mijn oudste broer Anthony jr. zei dat je naar Parijs moest, omdat daar alle interessante dingen gebeurden, in de literatuur, de dans, muziek, de schilderkunst. Nog steeds zonder zich om te keren mompelde Scott: 'Mmja, ooit... Waarom niet? Goed idee... Wanneer jij bevallen bent, en wanneer ik me niet meer hoef dood te werken om ons alle drie in leven te houden.' Toen rechtte hij zijn nek en draaide zich voor driekwart om. 'Je bent de baby toch niet vergeten hè?' Ik trok me terug in de gang. Ik had zin om te huilen. Ik dacht alleen maar: *ik zal het je betaald zetten*. En ik ging weer naar de zee om te zwemmen.

Een dochter van de Rechter huilt niet. Niet voor de zoon van een wasmiddelenverkoper. Als mijn ogen rood zijn dan komt dat door het zout en de jodium in het zeewater.

. . . .

U was nog te jong, dokter, u hebt geen idee, als je ons nu ziet, afgetakeld en in vergetelheid geraakt, hoe beroemd we waren, het Idool en ik – 'de Ideale Vrouw voor hem', 1940, maart zeiden de columnisten van de showbladen. We stonden op de voorpagina van de kranten, onze portretten hingen aan de gevels van de theaters en bioscopen van Manhattan. Ze betaalden ons een vermogen voor reclames, waarbij onze enige inspanning eruit bestond te glimlachen en schoon en nuchter op tijd te komen. Wij hebben het beroemd-zijn uitgevonden, en vooral de commerciële kant ervan.

We liepen altijd voorop, maar nog voor ons uit liepen op de rode lopers de fotografen achterstevoren en onze schoenen trapten de flitslampjes kapot en mijn kiezen knarsten alsof ik op fijngemalen glas had gekauwd.

'Hum,' kuchte het medicijnenstudentje in zijn witte

jas. Hij sprak aarzelend. 'Ja, ik denk dat ik weet wie u was. Herinnert u zich Lillian Gish?'

Ik zei: 'Natuurlijk herinner ik me haar. Geheugenverlies valt niet onder de symptomen van mijn stoornis. Dat zou u toch moeten weten. Lillian was een groot actrice en onze buurvrouw in Westport, ooit. We ontvingen altijd alleen maar mannen. Lillian was de enige vrouw die werd uitgenodigd. Toen we weer terug waren in de stad, dineerden we vaak in de *Blue Bar* van het Algonquin Hotel, met een klein groepje, en als we met meer waren namen we de grote ronde tafel. Het gezelschap was altijd fascinerend, het hotel bruiste van leven. In die tijd was de filmwereld in New York moet u weten. De filmmensen mengden zich met de literaire wereld, schrijvers gingen om met actrices. Lillian was mijn favoriete.'

Het joch: 'Mevrouw Gish werd vorige week geïnterviewd in de *Hollywood Chronicle* en sprak over u. Over u en uw echtgenoot zei ze: "De jaren twintig, dat waren zij." In die woorden ongeveer.'

Ik: 'Zei ze dat, Lillian? Wat aardig van haar. Acteurs zijn meestal niet zo hoffelijk. Maar zij wel. Raar eigenlijk: ik heb slechts twee vriendinnen gehad, en dat waren allebei actrices. Maar dan heb ik het niet over Love natuurlijk.'

Hij fronst zijn kinderlijke wenkbrauwen: 'Bedoelt u... die Russische danseres? Uw balletlerares, Ljoebov?'

Ik zei: 'In het geheim noemde ik haar Love. Maar het was puur platonisch zoals u weet.'

Hij: 'Nee, dat weet ik niet.'

Ik: 'Nou, dan weet u het nu. Maar hoe zit dat, zo'n serieuze jongeman als u, leest u die roddelbladen over de film? Nou zeg... dat had ik niet achter u gezocht.'

Hij werd rood en verborg een glimlach achter zijn hand. Hij heeft hele mooie handen. Net vleugels.

Ik: 'Op een gegeven moment, het was 1922 of '23, voordat we naar Europa zouden gaan – we waren toen allebei nog mooi en fotogeniek – werd ons voorgesteld dat we onze eigen rol zouden spelen in een film die gebaseerd was op een roman van Scott. Ik kon niet wachten, ik wilde het zo graag, ik was dolenthousiast. Maar het feest ging niet door, omdat Scott het niet wilde. En zonder hem was ik minder interessant voor ze: het was wij samen of anders niets. Uiteindelijk hebben ze een actrice genomen. 'Een beroeps,' zeiden ze, met een lichte toon van minachting waar ik het koud van kreeg. Scott gaf me geen enkele kans, nooit. Hij deed er eerder altijd alles aan om mijn kansen te verpesten.'

*

Soms was de opwinding zo groot, dan kolkte ze door mijn aderen en voelde ik mijn wangen branden door het toestromende bloed en het leven en een ondergrondse angst. Ik was iemand. Mijn hart ging zo tekeer dat het leek te barsten. Kan vreugde pijn doen? Wanneer ik blij ben – de weinige keren dat ik het nog ben – dan kriebelt het in mijn benen, ik adem te veel lucht in, mijn ogen worden wazig, ik houd het niet meer en dan, poef! Het gordijn valt.

Ik had het u wel willen zeggen, dokter, maar ik houd nog een beetje van mezelf voor mezelf.

*

En daar in Westport, in dat huis van geluk, daar is de mooie pop in mij ter ziele gegaan. Daar, op een ochtend, op het Compo-strand van de Sound, in die prachtige omgeving waar de lucht fris en licht en prikkelend is, waar iedereen slank is en mooi en perfect, daar voelde ik het gemis van Alabama, het gemis van die verfoeide aarde die toch ooit van mij was.

Rode aarde, zware klei om rode bakstenen van te maken en met die rode bakstenen steden bouwen, solide huizen, en in al dat rood niets wat beweegt, niets wat verontrustend zou kunnen zijn. Vervolgens ging ik de zware, kleverige lucht van de pijnbomen missen die ik haatte toen ik een jong meisje was, omdat ik dacht dat ik er astma van kreeg; en na die pijnboombossen was het de keuken van Auntie Julia die ik miste, druipend van vet en suiker, vies en verrukkelijk, de geuren verspreidden zich door het hele huis zodat alles ervan doortrokken was: het behang, de gordijnen, de vloerkleden, de sofa's, ook de lambrisering en zelfs de hoofdkussens op de bedden, in dat kasteel van rode baksteen.

En nog veel vreemder was het gemis van de vage schimmellucht waardoor ik telkens werd besprongen als ik in mijn ouderlijk huis terugkwam, en die me het gevoel gaf vies te zijn. Toch wende ik eraan, vergat ik het zelfs zodra ik er een nacht had doorgebracht. Wennen, vergeten.

Nergens zou ik gelukkig zijn. Nergens zou ik troost vinden.

Vóór de lobotomie. Ik weet dat het niet zo'n erge operatie is, gewoon een priem die ze met een hamer onder je oog naar binnen werken, tot aan de zieke hersens, de oogkas sluit zich weer en weg zijn de zorgen, weg angst en weg verdriet – zelfs geen litteken. Alleen maar een blauw oog dat binnen een paar dagen verdwenen is. *Ik probeer in stand te houden wat ik kan van mijn slechte, maar levende ik. Snapt u, jongeman?*

. . . .

In die chique drekput – ons leven – verscheen plotseling iemand die het goed met mij voor had. Het was op een avond, Scott gaf een receptie in de Villa Marie. De man heette Edouard. Edouard Jozan. Al zijn vrienden en wapenbroeders noemden hem Joz.

Ik droeg een jurk die als een tweede huid om mijn lichaam sloot. Zo mooi, helemaal roze. Een peperdure jurk, zijdezacht onder de romige kant. Scott nam zelfs niet de moeite om aandacht te schenken aan de dikke Parijse uitgever, onze zomerbuurman in Valescure, die hem toeriep: 'Verdomde bofkont! Jezus, Scott! nog nooit heeft een godvergeten schrijver zo'n godvergeten mooi, slim wijf gehad.' Het godvergeten wijf, dat was ik. Scott luisterde niet, maar wel volgde hij ons, Joz en mij, bij iedere stap die we zetten, stappen om te dansen of te lopen. *Nu is hij jaloers*, zei ik bij mezelf. *Geniet daar maar lekker van, van die jaloezie.* Maar al heel snel waren de gevoelens van mijn echtgenoot uit mijn hoofd verdwenen; binnen een uur ging ik geheel op in het spel, ik was verliefd op die mooie vleiende man die Engels sprak met een sensueel accent dat je de rillingen over de rug deed lopen.

Hij wil mij niet inperken (zegt hij), maar me bevrijden (zegt hij ook). Die Fransen zijn onbetaalbaar: mij vergelijken met een slavin, voor mij dezelfde woorden gebruiken als voor een slavin, alleen een Fransman is zo brutaal om dat te doen. Maar wanneer hij me in zijn gloeiende armen sluit, heb ik eigenlijk niets meer in te brengen.

2

De Franse vliegenier

'Ik zal voor je vliegen, als je van me houdt.
– Vlieg dan.
– Ik kan niet vliegen, maar houd toch maar van me.
– Arm vleugelloos kind!
– Is het zo moeilijk om van me te houden?'

ZELDA FITZGERALD,
Save me the Waltz

Onherstelbaar

Ik houd van gevaar... afgronden... dobbelstenen die je gooit met je hele leven als inzet, en dan wacht ik niet eens tot ze uitgerold zijn om over mijn ondergang te beslissen. *1924, juli* Mezelf verliezen, daar houd ik ook van, bij tijd en wijle. Zo ben ik nu eenmaal. Niets kan me daarvan genezen.

Jongens – ach! jongens houden er niet van bij een wedstrijd verslagen te worden. Bij geen enkele activiteit trouwens. En ik, als meisje, verpestte het altijd voor ze als ze de held wilden uithangen: ik was de snelste in het zwembad, en de snelste op de sintelbaan. Bij het rolschaatsen was ik kampioene van de provincie. Tallulah was ook bepaald niet de langzaamste. Je had moeten zien hoe we door de brede straten omlaag suisden, Perry Hill Street, Sayre Street Hill, en dan weer de helling op gingen, achter een vrachtwagen hangend of aan de bumper van een auto gekleefd. Voetgangers gilden, auto's toeterden en de conducteurs scholden ons uit, hun gezicht bleek en strak van de schrik omdat twee meisjes van veertig kilo hen voorbij raasden als woeste jonge duivels. Maar ons eigen geschreeuw van opwinding klonk boven alle lawaai uit. Week na week bonden we de rolschaatsen onder, we gingen steeds harder, remden zo laat mogelijk en sneden scherp de bochten af.

De vliegenier lachte: 'Maar je was een verschrikking!'

Ik was de dochter van de Rechter, hoe kun je zoiets uitleggen aan iemand die Alabama niet kent?

Die vliegenier, daar denk ik met zo veel spijt aan terug. U kunt zeggen wat u wilt. En voor u is het misschien een onacceptabel idee. Dat hij voor mij de lang verwachte man was. De knapste man van de Côte. De mooiste man, en ik was zijn vrouw.

Huil dan! Huil maar! Je bent alleen! Moederziel alleen!

De strooien hut waarin we leefden, die had ik wel als graf willen hebben. Een openluchtmausoleum, Jozan en ik verrast door de lava, de vliegenier en ik, verstrengeld op de katafalk van de matras die half vergaan was maar wel plaats bood aan de enige passie ter wereld. In dat hutje van de wind hadden we niets. Een vonkenaansteker om op het strand een barbecue te maken, en twee jerrycans met water, om te drinken, te koken en ons te wassen. Joz ging ze iedere ochtend vullen bij de fontein op het plein in het dorp.

Hij steekt de draak met mijn obsessie voor hygiëne (zijn verbijsterde gezicht als ik hem vertel dat ik vier keer per dag een bad nam) maar ik heb nu eenmaal gauw het gevoel dat ik vies ruik. 'Kom nou, Zelda, we leven naakt in de zon en de helft van de tijd zwemmen we. Hoe zou je nou kunnen stinken?' Ja, maar zie je, de andere helft van de tijd vrijen we. Als we groenten en vis gaan kopen op de markt in de haven, dan kijken alle mensen naar me met zwarte, wijd opengesperde ogen. En dan denk ik dat ik naar seks stink, dat ze dat vast en zeker ruiken als ik langsloop, een walm van seks en ander lichaamsvocht. En dan zou ik het liefst ver weg vluchten, verdwijnen onder het zand, maar Joz houdt zijn vuist vast om

mijn nek geklemd, kust me midden tussen de markt-
kramen vol op mijn mond, legt dan zijn hand onder op
mijn rug en ik geef me gewonnen. Zo lopen we dan, en
de visvrouw roept als ze hem ziet: 'Hé, daar hebben we
onze mooie jongen! Hij heeft een sirene in zijn netten
gestrikt! Heremetijd, wat een schoonheid!' En hij lacht,
blakend van trots. Ik vraag me af hoeveel sirenen de visvrouw heeft gezien, maar druk die hartverscheurende
gedachte meteen weg: mijn tijd met de vliegenier is be-
perkt, dat weet ik. Ik wil hem niet verliezen door zinloze
jaloezie. Ik moet genieten van wat hij me geeft, iets wat
ik nooit heb gekend en hierna ook nooit meer zal mee-
maken, daar ben ik op een treurige manier zeker van.

Joz heeft iets wat verder gaat dan zijn katachtige
schoonheid en zijn bedwelmende lichaamsgeur: hij stelt
werkelijk belang in vrouwen. En ik denk dat dat opgaat
voor de meeste Franse mannen: ze houden echt van vrouwen, terwijl het lijkt alsof onze mannen, uit Alabama en
de rest van Amerika, bang voor ons zijn, instinctief een
soort minachting voor ons hebben en zelfs – sommigen
dan – van ons gruwen.

Het is niet dat Franse mannen mooier zijn, verre van
dat. Het is gewoon dat ze ons begeren: voor hen is een
willige vrouw geen hoer maar een koningin.

'Baby,' smeekte Scott, 'kunnen we alsjeblieft ophouden
met deze vertoning? Ik wil niet van je scheiden.' Maar ik
verstond: 'ik wil nu van je scheiden,' en ik zei ja, zonder
aarzeling.

De andere mooiste nacht van mijn leven

De vliegenier had enorme armen, omarmende armen, twee warme vleugels waarbinnen ik huiverde. Hij had alleen mij om van te houden – zei hij. Hij beweerde ook dat ik de enige vrouw was die hij ooit zou beminnen.

De enige? Zou het...?

'Jij hoeft je geen zorgen te maken,' zei ik, 'want je hebt geen rivaal. Sinds het halve jaar dat we hier zijn is mijn echtgenoot maar één keer in mijn slaapkamer geweest.' Hij wilde mijn glas bijvullen. 'Nee, dank je. Ik ben gelukkig. Ik wil niets van dit geluk missen. Mevrouw Migraine en Meneer Misselijkheid kunnen wachten.'

Hij: 'Hoezo wachten? Ik ga morgen weg en ik wil met je vrijen, nu meteen, en wanneer ik terugkom moet je scheiden. Geef me je mond. En je borsten... ik droom van je borsten, ze maken me gek die borsten van je... kom hier, zo ja... Doe je benen wijd. Je bent zo mooi, zo stout ook. Ik ga dood, sorry... dat bedoelde ik niet zo, wijder, ja, ik wacht... Ik wacht... Neem me in je. Ja, heerlijk, zó. Doe maar wat voor jou prettig is en als je wilt stoppen dan trek ik me terug.'

Ik had nog nooit een man zien slapen, ik bedoel: een naakte man na de liefde. Zijn borstkas gaat omhoog, langzaam, indrukwekkend, het dons op zijn borst staat overeind, dons dat nog parelt van het zweet. Mijn blik glijdt omlaag, het dons wordt daar dichter en donkerder, een krullerige, zijdezachte vacht, een bruin-rossige schuilplek waar in de beschermhuls van zachte huid zijn geslacht slaapt, dat de kleur van mahonie heeft, zo verschillend van de andere aanhangsels die ik heb gekend, niet dat het er veel zijn geweest maar die waren eerder rozeachtig en flets – rimpelig en naargeestig in het schaamtevolle donker – net als de larven van sommige kevers die zich in de winter schuilhouden in de verkleumde aarde.

Ik houd van die donkere man met zijn gebruinde huid, zijn overweldigende geur en zijn brandende geslacht dat zich met lange stoten in mij uitstort. 'Aaah, Baby, ik kom klaar,' en ik wilde dat ik de juiste woorden wist om hem te antwoorden maar ik weet niet wat te zeggen. Ik kan alleen maar roepen dat ik van hem houd.

*

Ik ben getrouwd met een man die eigenlijk een blonde pop is en geen stijve kan krijgen. Een pop... hoe zal ik het zeggen...? Ach, ik zal je de ellende besparen. Het lijkt wel alsof mijn leven op één grote mislukking is uitgedraaid.

'Welnee, natuurlijk niet, miss Zelda, je bent nog jong en meneer heeft nog veel te leren.'

'Dank je wel, Auntie. Maar wil je me niet liever wiegen in je armen? Ik ben te oud voor leugens, maar ik zal nooit te oud zijn voor liefkozingen. Laten we alle pioenrozen plukken, Auntie, en ze door onze haren heen vlechten. We zullen waterleliemeisjes zijn; twee echte meisjes van het zuiden.'

'Twee meisjes van de rivier, miss Zelda, en onze Alabama is de mooiste rivier van de wereld. Zeggen ze.'

Onze Alabama, Auntie, en de Rhône in Frankrijk.

De Rhône-delta, Auntie, je zou verbaasd staan. Daar had de vliegenier me mee naartoe genomen.

'Miss Zelda, zo word je ongelukkig! Vergeet dat nou maar allemaal, *baby girl*, je moet ophouden je zonden te koesteren, anders gooit de goede God je meteen in de hel!'

We hadden de deur van een verlaten hutje opengeduwd en zijn er drie dagen en drie nachten gebleven. Van de bewakers – dat zijn hun cowboys, Auntie, maar dan zonder geweren – hadden we twee Camargue-paarden gehuurd, stevige maar wendbare paardjes. We reden de hele dag, zonder zadel, door de moerassen van de delta die vergeven waren van de muggen, de binnenkant van mijn dijen was helemaal bebloed, ik verbrandde (daarginds straalt en brandt de zon ook), maar ik voelde alleen maar de spieren van mijn paard, de ruwe zijde van zijn rug, geen enkele pijn, nee, eigenlijk niets dan de zoutige lucht en de blik die de vliegenier gevestigd hield op mijn nek, mijn billen, mijn dijen.

Mijn lichaam is een rivier, mijn lichaam heet Alabama in het midden van mijn lichaam is de Delta   in de baai van Mobile vormen mijn benen een schiereiland dat Genot heet Het wordt omspoeld door de Golf van Mexico   Op een dag neem ik je er mee naartoe   Ooit, Joz, ik zweer het je   Op een dag gaan we samen naar Pleasure Island en dan gaan we nooit meer uit elkaar   Nooit meer   Dan crepeer ik liever zei ik en ik heb woord gehouden   Mijn lichaam is een

opgedroogde Río   Lichaam van stenen   Lichaam grote woes-
tijn   Lichaam van het delict.

*

De verzilverde, metalen vleugels op zijn borst zitten samen met de speld en de insignes dicht op zijn hart. Ik
zou willen dat hij me op die vleugels meenam. 's Nachts
slaap ik niet, 's nachts sta ik op, ik neem zijn uniformjas-
je van de hanger en druk het tegen me aan, ik wrijf mijn
naakte huid in met de geur van zijn afwezigheid, in de
wetenschap dat we slechts schimmen zijn – en ik kus
het koude metaal van de gespreide vleugels. Houd me
bij je! Vouw je vleugels dicht om me heen! Houd me in
je, ook wanneer de wet ons gescheiden zal hebben.

*

Over de rotsige kustweg raasde de auto vaak vlak langs
de afgrond: de banden gierden, de auto hing in de lucht,
de wielen aan de kant van de diepte leken het contact
met het asfalt verloren te hebben – maar ach, wat bond
mij nog aan deze wereld? Ik schreeuwde niet eens. Joz
leek teleurgesteld. Hij was vast van andere meisjes gewend dat ze gilden, smeekten, het in hun broek deden
en zich aan hem vastklemden. Ik stak gewoon een sigaret aan in de holte van mijn handen en plantte die tussen
zijn volle, rode lippen. Natuurlijk, ik wist dat hij trots op
me was en ik deed extra dapper om hem te laten zien,
hem en iedereen, dat ik de tijd die men aan me besteed-

de meer dan waard was. Hij noemde mij partner, of *co-piloot*. Ach, ik was zo trots!

'Ik zou graag zelf willen sturen,' zei ik. Hij deed verbaasd: 'Een vrouw als jij zou toch moeten kunnen autorijden.'

'Ik heb het niet over een auto.'

'O?'

'Ik bedoel zoals die andere jonge vrouwen, van mijn leeftijd, Hélène Dutrieu, Adrienne Bolland en Germaine hoe-heet-ze-ook-weer. Ik wil dat je me leert vliegen.'

'Een vliegenierster? Wil je werkelijk lijken op die vreselijke wijven die ervan dromen een knuppel in hun handen te houden?'

Hij barstte in lachen uit. Ik kon het niet helemaal begrijpen. Als hij Frans ging spreken wist ik dat hij de spot met me wilde drijven. Dan joeg hij me weg uit het hart van mijn liefde, het hart dat gevormd werd door onze twee naakte lichamen die verstrengeld op het zand lagen – dan was het alsof hij me met een schop onder mijn achterste op de boot naar New York zette.

'Je bent geschift, gekkie. En aanbiddelijk.'

Ik versloeg hem in alles: hardlopen, zwemmen, zelfs in de galop. Ook duiken in de diepe kreken aan de kust kon ik beter dan hij. Maar op een nacht was ik er bijna geweest, toen ik vanaf een onbekende rots naar beneden sprong in verraderlijk water en weer bovenkwam met mijn halve lijf kapot geschaafd aan de rotsachtige bodem. Ik trilde in zijn armen. Hoe harder mijn tanden klapperden, hoe steviger hij me tegen zich aan drukte, alsof ik heel klein was, een nietig dingetje tegen zijn grote lijf. Zijn warme borst strekte zich uit als een continent, en op dat continent voelde ik me veilig.

Ik had eindelijk rust gevonden. Ik had liefde.

(Als Scott om wraak te nemen me in de auto naar mijn verbanningsoord wil rijden, nemen we dezelfde kustweg, en dit keer ben ik wel bang – omdat hij dronken is, zo dronken dat hij het stuur loslaat om in zijn zakken naar een sigaret te zoeken en de auto ons bij iedere slinger met een grotere zekerheid de dood in lijkt te sturen. Het lawaai, de rondvliegende steentjes, deze hele suïcidale vertoning, dit alles heeft niets weg van de soepele, sexy rijstijl van de vliegenier. Zonder dat Scott ook maar één moment nuchter wordt, bereiken we 's ochtends Zwitserland, neutraal land waar alle conflicten gesmoord worden. Daar, in een geschikte inrichting, in een zwaar beschermd luxehotel in Lausanne, daar zal Scott mij in het diepste –maar geenszins neutrale – geheim laten boeten.)

. . . .

Tussen zijn riem en zijn navel, op die paar millimeter tussen zijn gesp en het middelpunt van deze man, drong een klein driehoekje van bruin dons zich op aan de blik *1940* als de venusheuvel van een maagd. Verrukkelijk en soms voor mij zo pijnlijk dat ik hem vroeg – het gezicht dat hij dan trok! – zijn navel onder zijn kleren te verbergen. De geur van de vliegenier: zelfs nu nog doet in verbijsterende vlagen de geur van zijn borst me de tranen in de ogen springen en mijn hand trillen op het doek. Ik zeg er niets over. Als ik ze vertel dat hij bij me in de kamer is, vlak bij me, dat hij zich over me heen buigt, over mijn nek, en toekijkt hoe ik schilder, dan zullen ze zeggen dat ik weer aan het hallucineren ben. Die heftige herinnering is een soort gekte. Kon ik zijn geur maar schilderen. 'Al die dingen die u verdrongen hebt,' zegt de dokter. Maar ik kan juist niets verdringen: alles is er, voortdurend aanwezig, op de voorgrond. Ik raak mijn gevoel voor de werkelijkheid kwijt omdat ik niets kan vergeten, verdringen of verwerpen: er is geen projectiescherm en geen achtergrond. Zelfs geen achterliggende gedachte... Maar kom op zeg! Dit ben ík toch, de kleindochter van een senator en een gouverneur... dochter van de rechter die het Hooggerechtshof voorzit, dit ben ik, het meisje dat op school niets uitspookte en een dikke nul had voor gedrag, en dat uiteindelijk de echtgenote werd van de bekendste schrijver van het moment.

Mamma   Minnie   Minnie mijn moeder waar ben je Mamma was ik zo lelijk dat je me weggepoetst hebt   Dat niemand ooit   nog van me zal houden?

Party

Mijn jurk is roze en nauwsluitend en het is een hele mooie jurk. Minnie had hem voor me gekocht in een zogenaamde Franse winkel in Atlanta (een oude Texaan stond bij de kassa en bezwoer ons dat de jurk 'modieus' was, waarmee hij leek te bedoelen dat hij van een bepaald merk was) en ik voel me slecht op mijn gemak. Al die leugens. Hangt de geur van seks om me heen? Kan je zien dat ik de laatste dagen in de zee heb gebaad in plaats van in geparfumeerde olie...? Scott kijkt met schuinse blikken naar me, hij ziet er gepijnigd en radeloos uit. Hij is al dronken voordat de eerste gasten arriveren. Het gezelschap lijkt niets te merken, iedereen zegt juist dat ik er zo mooi uitzie, alsof ik straal van geluk. Ik voel me kalm, heel voldaan, heel rustig. Ik daal af naar het strand van de Villa Marie en ik wacht op goed geluk of de vliegenier opduikt. Ik hoor fluiten. Van die knullen, denk ik, die me begluren in mijn vleeskleurige badpak, dat badpak waarmee ik mijn eerste schandaal veroorzaakte. (Natuurlijk kun je heel even, voordat je ogen zich aangepast hebben, denken dat ik niets aanheb.) Weer fluiten, gevolgd door gefluister. In de tijd dat ik naar hem toeloop achter het duin ligt Joz al naakt op een legerslaapzak.

'Vanavond maak ik een kind bij je.' Ik lach, maar hij sluit mijn mond met een autoritaire kus. 'Niet lachen: ik weet het zeker. Een man weet dat. Nu zitten we aan elkaar vast, *1924, zomer*

73

Zelda. Nu kan je niet meer bij me weggaan. En ik ben van jou.' Ik liep het duin weer af, overal plakte zand, in mijn haar, op mijn wangen en op mijn billen onder mijn jurk. Het schuurde zo dat ik moest terugdenken aan de zandgroeve waar Talllulah en ik naakt in doken, onder de overspannen blikken van de jongens van wie de meesten niet eens tot de top van de zandberg durfden te klimmen. Ik moest om die herinnering lachen en ging met kleren en al het water in. Toen ik weer terugkwam op het terras bleven de blikken niet eens lang op me gericht: ja, ik droop, en ja, mijn kletsnatte jurk was doorschijnend, maar dat was gewoon weer een van mijn dolle streken, en bepaald niet de meest schandalige (dachten ze).

De paarden zetten de vaart erin. Eerst een kleine galop, de vliegenier houdt mijn blik nog gevangen in de zijne en ik lach naar zijn volmaakte tanden die in het maanlicht bijna verontrustend zijn, onze paarden spelen het spel mee, ze gaan zij aan zij, het schuim op de lippen van onze paarden vermengt zich, zo dicht bij elkaar zijn ze, dan schudt zijn merrie haar hoofd, ze houdt in, steigert, het lijkt of ze lacht, arrogant, haar neusvleugels hemelwaarts, de hemel is zwart van sterren, zo vredig, zo'n rustig uitspansel, en dan, even plotseling als ze inhield, gaat de merrie ervandoor en vliegt in volle galop naar de nachtelijke horizon. Het lijkt alsof het strand eindeloos is: ze rent de wereld rond in een tijd die stilstaat, het is een keerkring, de evenaar, de merrie draagt de vliegenier weg. Wie weet, misschien heeft ze haar vleugels uitgeslagen, en op die wijde vleugels ontvoert ze mijn minnaar, ze steelt hem van me, ze vliegen samen, ze hebben de wetten van de zwaartekracht en de vastomlijnde regels van het dier-zijn overschreden, ze vliegen in een eeuwige baan.

... *Paarden schieten me te binnen*, en de zon van Catalonië, en de arena van Barcelona... Stop! Alles wissen...!

Toen ik door de menigte mensen met lachende gezichten heen liep – de meesten waren mij onbekend, weer van die uitgaanstypes of klaplopers die hij had opgepikt tijdens zijn dronkenmansnachten – smeet Scott zijn glas absint voor mijn voeten op de grond: 'Schaam je je niet? Fatsoenlijke vrouwen gedragen zich niet zo in het openbaar. Slet die je bent.' En hij spuugde me in mijn gezicht. Twee mannen konden hem net bij zijn schouders pakken en hem tegenhouden toen hij zijn rechterhand naar me ophief.

Schokkend, maar anders dan een stomp of een klap in mijn gezicht: nee, ik voelde geen enkele schaamte. Bijna nergens voor. Maar hij wist het: ik had iets veel ergers gedaan, honderd keer erger dan het water ingaan in een doorschijnende jurk. Ik had op alle nachtclubtafels van Manhattan gedanst met mijn rok tot aan mijn middel omhoog geschoven, ik zat altijd met mijn benen uitdagend over elkaar gekruist, ik rookte in het openbaar, ik kauwde kauwgom en ik zoop als een tempelier. En hij vond dat mooi, hij moedigde zulk provocerend gedrag juist aan, want de mensen bewonderden ons erom en het zorgde voor lucratieve publiciteit.

Ik voelde heel goed dat wat hij nu obsceen vond niet mijn gedrag was of de naaktheid onder mijn jurk, maar dat geluk waardoor ik beneveld raakte als in dronkenschap, die extase die hij nooit van me gekend had en die hem niet kon ontgaan, want het viel zelfs de kooplieden in de haven op. Ze zagen het bij Joz en bij mij. Mensen die van elkaar houden zijn altijd aanstootgevend. En voor degenen die de liefde hebben verloren is de aanblik van minnaars een marteling, wat ze ontkennen door op ze af te geven en met ze te spotten.

Ik werd bang. Bang dat hij me terugwilde. De omheining waarbinnen ik geleefd had stond wijd open – hoe griezelig om die grens werkelijk te overschrijden.

Hij die zich al maanden niet meer in mijn slaapkamer had vertoond kwam er die nacht binnen en ging naast het hoofdkussen zitten. Zonder zich uit te kleden maakte hij zijn broek los, omklemde mijn nek met zijn rechterhand (dezelfde hand die me vier uur eerder had willen stompen) en dwong me omlaag naar de akelige geur van de voorhuid die gloeide van de alcohol: 'Fatsoenlijke meisjes doen dat niet,' siste hij terwijl hij mijn nek fijnkneep, 'ze kussen niet daar waar de mannen pissen. Fatsoenlijke vrouwen kennen dat soort dingen niet eens. Maar jij ben geen fatsoenlijke vrouw meer. Dus moet je het maar leren.'

*

De vliegenier ziet me graag naakt. Hij verbergt zichzelf ook niet bepaald. Hij moest lachen toen ik in het begin

mijn naakte borsten bedekte met een stuk laken. Zo naakt
dat het bijna pijn deed.

's Avonds gaan we het strand op, met een glas champagne in de hand, en ik voel me bevrijd, voel me een koningin, begeerd. Gerespecteerd?

Die nacht, voor altijd bewaard in mijn herinnering, getatoeëerd in de eeuwige hemel, trekt hij de lakens van het bed en zegt: 'Wat is het warm. Waarvoor zouden we lakens nodig hebben?' En hij rukt de lakens weg, en de sprei, en de hoofdkussens.

Hij vrijt met me, heel zachtjes, gewoon op de beige-wit gestreepte stof van de matras.

Ik zeg ja, ik speel het spel mee, maar mijn preutsheid komt tussenbeide: ja, ja, nee – geen denken aan!

Ik houd ervan hem te horen lachen. In zijn armen ontdek ik iets nieuws, hier is geen sprake meer van echtelijke verkrachting, niet meer enkel van vocht, ejaculeren, bloed, en dat urenlange gedoe zonder te durven zeggen dat je niet meer van elkaar houdt, nee, plotseling is er iets anders, zonder lakens en op onze lijven, iets anders dan de viezigheid en de bijbehorende schaamte.

Ach! Kijken hoe je minnaar slaapt: een toegift voor de slapelozen. (De mijne ruikt naar kruidkoek en honing.)

En in het middelpunt, in het brandpunt, schuilt dat ding van vlees dat slaapt, weerloos, ineengeschrompeld of nog niet ontvouwen. Het kan onschuldig lijken als een slak maar ineens – afhankelijk van het lot – de brenger zijn van leven of van ellende. Die kunnen onder hetzelfde dak huizen, twee voor de prijs van één. Soms word ik bevangen door paniek bij de gedachte dat Scott me niet alleen met een nieuw mormel heeft opgezadeld maar ook met een of andere vreselijke ziekte. Maar Scott gaat met niemand naar bed, ben ik bang. En als hij, de laatste keer dat hij het nog kon, een kind bij me gemaakt zou hebben, dan was ik al honderd jaar zwanger. Binnenkort komt aan alles een einde.

Ik zei: hijzelf verbergt zich ook niet bepaald, maar dat is niet helemaal waar. Jozan weigerde zijn snor af te scheren, en toen ik daar op een ochtend op aandrong, zei hij dat hij bij zijn geboorte een hazenlip had, en dat daar een lelijk litteken van was overgebleven. Dat verboden litteken ging geleidelijk aan een eigen leven leiden tussen ons. Wat een flauwekul! De vliegenier was nog altijd even mooi en begeerlijk, en vol verlangen erop uit te trekken, overal naartoe, naar het zand van de stranden, naar de schaduw van de pijnboom- en kastanjebossen, naar de hete rotsen. Maar nu vermeed ik zijn lippen, half uit afkeer en half uit angst. Kussen doe je niet om te verwonden!

Vooruit, ik weet het: ik ben niet wat je noemt iemand die aardig is of goed. Ik blijf voor altijd de dochter van de Rechter. De snol die door de hele wereld geneukt is, alleen had ik in mijn bruidsnacht met nog maar twee mannen geslapen, en de tweede was mijn echtgenoot.

Fitz is niet met me getrouwd voor de seks: hij had het al eens uitgeprobeerd, en mocht hij toch vuurwerk hebben verwacht, dan kwam hij van een koude kermis thuis. Ik ben een houtblok, een stuk hout dat er heel lang over doet vlam te vatten, zoals hij zich jaren later beklaagde tegenover die geweldige vriend en collega van hem, te weten Lewis O'Connor. Die dat de volgende morgen meteen aan mij doorvertelde om te laten zien hoeveel macht hij over mijn man had. Ik keek hem aan, die vechtlustige nicht, en zei: 'Haal je maar niks in je hoofd, Lewis. Scott rijmt bepaald niet op *hot*.'

De Franse vliegenier: in zijn armen was ik een twijgje, een lucifer.

Ik vroeg Jozan een laatste keer om die camouflagesnor af te scheren. Hij zei: 'Hou je echt van me?' Ik zwoer van ja. En voelde totaal geen afkeer bij het zien van het litteken. Integendeel, ik kuste hem op zijn nieuwe lippen. En zijn geslacht reageerde, ontzagwekkend.

Voor ons is de rivier van de uren een stroomversnelling die donderend en kolkend voortdavert in de richting van de waterval, met zo veel schuim dat we door ons eigen geluk worden ondergespat. En met hart en ziel laat ik me meesleuren, in het besef van de afloop.

Ik ken het einde, maar ik zeg niets. Ik laat hem zijn verliefde dronkenschap, de vreugde van het moment, want deze man is geschapen voor het geluk en zal het huidige geluk niet méér betreuren dan het voorafgaande of het volgende.

Vraag me niet hoe ik dat weet. Ik weet het gewoon.

Veiligheidsspelden

Die jongen, daar op dat strand waar ik doodging van verveling, zei dat ik mooi was. En rijp, als ik zijn Italiaans goed heb begrepen. Ben ik dan zo snel oud geworden? Ik had mijn twijfels kunnen hebben bij zijn compliment als zijn jongenshand niet meteen naar zijn kruis had gegrepen in zo'n primitief en naïef gebaar dat zijn opwinding wel oprecht moest zijn. Ik zou willen dat ik alleen maar mooi was, en maagdelijk, en onvolwassen. Alleen maar mezelf zijn, mezelf bij het eindpunt. Bij het beginpunt. Dat is hetzelfde.

Hou van me. Neem me mee. '*Ti supplico. Amami.*'

De Franse vliegenier bedreef de liefde in het Frans en zijn hofmakerij in het Italiaans. Zijn moeders familie kwam uit een van die armoedige voorsteden van Rome, en toen Scott me vertelde dat we de hele winter in Rome gingen wonen omdat hij zijn boek wilde afmaken op grote afstand van de Parijse verleidingen, schrok ik, maar ik durfde geen nee te zeggen want dan had hij gevraagd waarom, en dan zou er weer een nieuwe hel zijn losgebarsten.

*

Patti is slecht opgevoed, moet ik geloven van de Italiaanse oppas die we sinds Rome met ons meeslepen en die zich door Scott in ruil voor een vorstelijk bedrag heeft laten overhalen om met ons mee te gaan naar Capri. Ik protesteer, ik wil haar de mond snoeren en haar haar plaats van bediende wijzen, maar mijn stem begeeft het en verraadt me. Ik ben degene die inbindt, die rood wordt en stottert van ongemakkelijkheid. De kindermeid gaat stug door: '*E' viziata, la tua bambina.*' Scott verschijnt in de keuken en fronst zijn wenkbrauwen in mijn richting. Ik laat hem het woord doen tegen dat vreselijke mens, die dikke trut die door de planeet der vrouwen is afgevaardigd. 'Ze zuigt nog op haar duim, en ze is al vier! *E'una vergogna!*'

– Ze is pas drieëneenhalf, verbetert Scott.

– En we houden van haar zoals ze is, zeg ik, alweer wat dapperder, en ik bedek de mollige wangen van mijn dochter met kussen, haar wangen en haar hele lijfje, goud gekleurd door de zee en het strand.

Scotts groene ogen spuwen vonken naar me, zijn verwijde pupillen lijken twee vuurmonden.

'Bij ons hebben we een traditie,' gaat de matrone onverstoorbaar verder, 'een probaat middel dat verklaart waarom de Italiaanse mannen en vrouwen de mooiste glimlach ter wereld hebben.' (Waar haalt ze die onzin vandaan? Meestal hebben ze geen tand meer in hun mond!) 'Wij verhinderen meteen na de geboorte dat de baby op zijn duim zuigt, want duimzuigen vervormt het verhemelte voor altijd en maakt dat de tanden naar voren gaan staan. Daar helpt maar één ding op: het kind vastbinden. Een techniek die al jaren met succes wordt toegepast: als de baby in de wieg ligt worden zijn ellebogen vastgezet met twee veiligheidsspelden die door zijn truitje en het onderlaken heen gaan, twee spelden waardoor hij aan het matras vastzit en zijn handjes niet naar zijn mond kan brengen.'

Dan zegt de vader: 'Mijn dochter heeft perfecte tanden en de glimlach van een engel. We zullen niet verder gebruik maken van uw diensten. We gaan trouwens toch terug naar Frankrijk. Komt u in mijn werkkamer maar uw loon halen.'

Scott had een hekel aan Italië. En ik had geen moederhart. Niet het hart dat je moet hebben om een klein meisje te martelen voor haar eigen bestwil. Als hij terugkomt van het postkantoor, waar hij heen zei te gaan om een telegram te sturen naar zijn uitgever in New York, kondigt Scott aan dat hij voor zes maanden een villa in Antibes heeft gehuurd, een prachtige villa verzekert hij, die hem is aanbevolen door ik weet niet meer wie van onze kennissen. 'Is het niet geweldig...?' Ik kijk hem verdwaasd aan. Ik ben bang, bang om weer terug te keren naar de plaats van mijn misdrijf. Stel dat de vliegenier daar nog is? Dat ik hem bij toeval tegen het lijf loop? Antibes ligt vlakbij Fréjus. Een enorme villa, gaat hij door, met zes bedienden erbij, en dat voor bijna niks. Een koopje. Als hij de prijs noemt kreun ik: 'Maar dat wordt onze ondergang, Goofo! Je richt ons allemaal te gronde...'

Ik weet niet of hij me op de proef wil stellen of dat hij zijn eigen angsten moet bedwingen. Of zijn bedoelingen nu sadistisch of masochistisch zijn, hij speelt met vuur.

In het huis naast ons woont een beroemde sterdanseres. Ze komt nooit in de zon en gaat alleen 's avonds naar buiten. Ik bespied haar wanneer ze zich op het terras vertoont, we wuiven naar elkaar. Wanneer ik twee woorden meer zeg dan 'goedenavond', bijt ze op haar onderlip en gaat ze weer naar binnen om zich te verschuilen in haar wereld van stilte en muziek. Ze is waanzinnig mooi. Volkomen vervuld van zichzelf. Ik zou willen dat ik weer de energie had om te dansen. Het is meer dan energie, een soort dronkenschap eigenlijk, maar het heerlijkste, wonderbaarlijkste middel om hemel en lichaam te verenigen. Dansen: niet meer denken aan vliegen.

*

In Antibes kon ik even geloven dat we weer een soort rust gevonden hadden. Scott was naar Parijs vertrokken voor het verschijnen van *Gatsby* en het nieuws daarover was vrolijk stemmend: de roman maakte furore, pers en publiek waren razend enthousiast – in een paar dagen tijd schoten de verkoopcijfers omhoog. Ik was trots op hem, op ons: het was zo'n mooi boek, en wederom was ik in het verhaal de verleidelijke en noodlottige heldin.

In de gigantische, helemaal wit geschilderde villa was op sommige dagen de weerkaatsing van de zon tegen de muren niet te harden. Ik begon een donkere bril te dragen. Ik zwom tot ik uitgeput was en ging 's avonds naar de Murphy's, onze buren, om paard te rijden. Soms vroegen ze me te blijven dineren, maar dat was vooral om te kunnen zeuren over mijn zwakke gezondheid, mijn eenzaamheid (Scott had Patti meegenomen onder het voorwendsel dat een beroemde Parijse specialist haar oren moest nakijken), en mijn karige maaltijden ('Kom

Zelda, op alleen tomaten en champagne kan een mens niet leven!'). Het eind van het liedje was dat ik na zulke avonden dubbel gedeprimeerd thuiskwam. Meer dan eens heb ik weerstand geboden aan het verlangen naar de luchtmachtbasis te bellen om uit te vinden of hij daar nog steeds gestationeerd was. Sommige nachten had ik het zo te kwaad dat het niet veel scheelde of ik was de kustweg naar Saint-Raphaël opgereden om Joz op te zoeken. Mijn lichaam had nog nooit zo'n pijn gedaan als onder dit gemis van een ander lichaam. Toen ik van hem losgerukt werd, voelde het alsof ik in ijs werd ondergedompeld. Eerst ril je nog, je voelt de kou, maar dan raakt de geest verdoofd en begint de huid over je hele lijf te branden, erger te branden dan in een vuur.

Ik vertrouwde mezelf niet: die bochtige, steile kustwegen die vlak langs de afgrond scheren (en deze tegelijkertijd lijken te liefkozen) hadden in mij al meer dan eens het verlangen gewekt mijn ogen dicht te doen en de auto in het luchtledige te laten duiken. Op zulke avonden nam ik pillen, broom, en veel champagne. Twaalf uur later werd ik dan wakker, met hoofdpijn en een verwilderde blik maar wel met het trotse gevoel dat ik had standgehouden: een heldhaftige echtgenote.

Ja, een paar weken lang geloofde ik dat voor Scott en mij misschien nog niet alles verloren was.

*

En toen kwam die akelige vetzak in ons leven. Die liefhebber van stierengevechten en extreme sensaties. De hoerigste schrijver die er bestaat, en een rijzende ster in ons land. Hij was toen nog niet zo dik en beroemd trouwens. Er was zelfs nog geen boek van hem verschenen. Ik denk dat Scott hem heeft aanbevolen bij Maxwell, van Scribner, met het verzoek het werk van deze veelbelovende jongeman te lezen en uit te geven. Jong ja, maar toen al een grote snoever, een opgeblazen mythomaan. Ik zie ze nog aankomen, allebei, gekreukeld en ongeschoren maar gelukkig, ik zie ze nog door de glazen deur van de villa op Cap d'Antibes naar binnen lopen en ik hoor hoe Scott ons voorstelt, aangedaan: 'Zelda, dit is Lewis. Lewis O'Connor, over wie ik je verteld heb.' Ik werd direct getroffen door Lewis' verwaandheid, die eigendunk die alleen idioten en nepkunstenaars hebben. Toen we elkaars handen schudden had ik al zin om hem een mep te geven. Dat Scott hem in de Dingo-bar had opgepikt pleitte ook niet in zijn voordeel.

Ze hadden de hele nacht doorgereden, in de Renault Sport die Scott had gekocht van de eerste dollars voor *Gatsby*. Uit de manier waarop zijn wijd opengesperde ogen bleven rusten op zijn hypocriete bewonderaar (ik geloof geen seconde dat Lewis ook maar één regel van Fitzgerald had gelezen voordat hij in die kroeg tegen hem aanliep) begreep ik dat Scott betoverd was, op zijn knieën lag voor deze viriele, sportieve man die jonger was dan hij. Ach! Scott had zo graag een football-ster willen worden. Toen hij vijftien was, droomde hij al van zijn naam in grote letters in het sportnieuws, niet in de boekenrubriek en ook niet op de showpagina – maar de universiteit wees hem af. Niet goed genoeg.

Twee mannen zijn zich nooit bewust van de fysieke dimensie van hun wederzijdse aantrekkingskracht. Die stoppen ze weg onder woorden, onder sentimentele ideeen als trouw, heldhaftigheid of zelfverloochening.

Ik had meteen door dat de dikzak maar één doel had: Scott zijn roem ontstelen. Net zoals duidelijk was dat ik voor hem een sta-in-de-weg was, een rivale. Maar om Scott te onttronen moet je over wapens beschikken die hij in de verste verte niet kent, zo weinig benul heeft hij van onze vrijgevochten literatuur. Het idee dat hij daar zelf ook bij zou horen, wat een giller! Hij verveelt ons dodelijk met zijn bloederige verhalen. Die flutschrijver houdt ervan de ballen van een stier beet te pakken... Dat zal hij wel stoer vinden, of misschien windt het hem op, omdat hij zelf geen ballen heeft. Of misschien heeft hij nog liever de ballen van de stierenvechter, die veel zichtbaarder zijn, opgepropt in zijn strakke broek van goud en roze.

Zijn blik is niet gewoon een blik: het is een wolk vlinders die verblind neerstrijken op de gulp van Scott. Nee, ik ben niet gek. Ik verzin het niet. Ik zeg het zoals het is.

Deze opgeblazen ijdeltuit, dit geschifte monster, zegt gebiedend tegen Scott: 'Wees een man.'

En ook, zoals ik op een dag door een halfgeopende deur hoor: 'Je moet je vrouw in bedwang houden, anders zal ze je kwaad berokkenen.' En Scott die dan zegt: 'Laat mijn vrouw maar aan mij over.'

Terugkeer naar het moederhuis

Ben ik al genoeg gestraft? Vast niet.

... *Nachtmerrie komt terug*, verstikkend, over de arena van Barcelona. Die mannen in het zwart, als een bijeenkomst van doodgravers, hun dikke vrouwen in het zwart, met stemmen als gekeelde dieren onder hun strooien hoeden, en hun afschuwelijke kinderen, die opgewonden raken bij het zien van bloed. 1925

En aan bloed geen gebrek. Het schijnt dat hij heel mooi is, de arena van Barcelona, ik ben er geweest, ik zou het moeten weten, maar ik kan me de mozaïeken echt niet herinneren. Wel de zondagse, geparfumeerde menigte, met gemorste stukjes tortilla op de witte overhemden en de zwarte blouses. Ik zie de parade, ik hoor de fanfare, het geschreeuw. Ik zie weer het onschuldige paard, lichtjes dravend, bijna toverachtig onder het zware rode pantser dat hem moest beschermen, en ik herinner me dat ik medelijden met hem had, dat ik voor hem bad; een zon des doods blikkerde op de arena en weerkaatste op de groteske vertoning (het krakende pantser van het paard, ja, en de groen-gouden bolero's van de ruiters) en in een flits zie ik de zwarte kop met de schuimende neusgaten zijn horens onder de buik van het paard stoten en het dier spietsen, hij tilt de figurant van duizend kilo spieren en verguldsel op als een veertje. Het paard viel om, zonder een kik te geven: uit zijn open buik stroomden zijn ingewanden. Voordat je begreep wat er gebeurde, was het zand één grote bloedplas. Het opengereten paard met zijn vier hoefijzers in de lucht. De toeschouwers zijn nog verblind door het vergulde metaal van zijn vermomming die hem niet heeft geholpen, hem nergens tegen heeft beschermd. En naast ons, op de tribunes, de Doodgravers die luidkeels protesteren, de Strohoed-vrouwen die een kruis slaan, en hun in het wit geklede Infanten die gillen van vreugde bij de geur van het warme bloed. En dicht tegen mij aangedrukt, weggedoken, Patti, amper vier jaar oud. Mijn dochter die bij mij bescherming zoekt. Mijn dochter die tegen mijn borst wegduikt en schreeuwt om hulp. Het kost moeite haar van mij los te maken, ik zie haar tranen, ik zie vooral dat het bloed uit haar lieve gezichtje wegtrekt, mijn dochter richt zich op en wankelt, werpt een gekwetste blik op haar vader en op Lewis en dan valt ze flauw, glipt uit mijn armen, mijn dochter, ze valt neer op de bank, alsof ze sterft.

Die dag werd een paard geofferd, zodat de barbaren waar voor hun geld kregen. De barbaren werden zelfs dubbel beloond: na de eindeloze doodsstrijd van het paard dat smadelijk achter een kar over het zand werd weggesleept, werden ze ook nog getrakteerd op de executie van de misdadige stier, wiens bloed niet minder overvloedig stroomde, met lange, hevige gutsen. De ene hinnikte en spartelde; zijn radeloze ogen draaiden niet-begrijpend weg, zijn benen die omhoog staken smeekten de hemel om een reden. Bij de ander, de zwarte misdadiger, was tussen de schouderbladen een sabel gestoken die zo lang was dat hij er bijna aan de andere kant weer uitkwam; hij zakte door zijn voorpoten voordat hij de strijd opgaf (voor zover er een strijd was geweest), en toen de Menigte op de tribunes hem zo zag knielen en zich overgeven kwam ze overeind en brulde van Vreugde, de Doodgravers openden hun gulpen, de Vrouwen rukten hun mantilla's af en stortten zich allemaal op de stinkende Pikken die op de Dag des Heren als communie ontvangen mogen worden, en terwijl zij het Corpus Christi en het Zaad van de Vader inslikten, waren de opgehitste Infanten door het dolle heen en verlangden een nieuw Bloedbad, een nieuwe Neukpartij, en alles zoog en kletste en delibereerde terwijl de stoute stier, niet eens fatsoenlijk uit zijn lijden verlost, op zijn draagbaar lag te kermen als een klein kalfje. Niemand keurde hem meer een blik waardig, de stervende hoofdrolspeler die kort geleden zo vervaarlijk was geweest, die zojuist nog de Duivel werd genoemd.

. . . .

'De corrida, moet u weten, dokter, dat is vlak na de mis. Ze houden hun zondagse kleren aan, werken snel een tortilla naar binnen en hup! Gauw naar de *plaza de toros* om het bloed te zien stromen. Het bloed en de ingewanden.'

. . . .

Zo werd ik de moeder van mijn dochter, mijn dochter die me altijd negeert en alleen haar vader nodig heeft. Deze dag staat aangekruist op de maagdelijk lege kalender van al die jaren waar ik liever niet aan terugdenk.

Eerst voelde ik me ook dood, verpletterd, en vervolgens heel sterk. 'Je bent een zwijn,' zei ik tegen Lewis, 'je bent een ontaard monster dat slangen uitbroedt. Waag het niet ooit nog in de buurt van mijn familie te komen. Verdwijn of ik vermoord je met mijn blote handen.' Ik tilde Patti op en droeg haar naar beneden, tree voor tree, naar de eerste de beste uitgang. Ik gaf stompen in vette ruggen, schopte tegen benen met spataderen. Als ze protesteerden zette ik mijn hak in hun voet en zei de enige woorden die ik kende: *mierda de puta*, of andersom, *puta de mierda*, ik weet het niet meer. De zon brandde op mijn nek, het zweet liep in mijn ogen, zwarte kevers vlogen rond in de lucht en nergens leek een uitgang te zijn.

Op het door palmen beschaduwde plein prijkte een fontein, een bassin met zulk fris water dat we erin stapten, Patti en ik, met kleren en al. Twee weduwen van die doodgravers keken naar ons van onder een pergola. Ze lachten, hun zwarte monden telden samen niet meer dan vijf tanden, maar met al die vijf tanden lachten ze en ze maakten goedkeurende gebaren naar ons om te zeggen dat ja, de bedoeling van het leven was de fontein, niet de arena.

O! Patti! Je naam die ik nooit genoeg gezegd heb.

*

De ergste straf, nadat ze me hadden weggerukt uit Joz' armen, was niet de publiekelijke vernedering. Ja, ik werd drie maanden opgesloten in een leeg huis ver weg van alles, in de gaten gehouden door een kokkin met een kop

1924

als een doodshoofd en zwarte ogen die als spijkers diep in haar gezicht lagen, en op de voet gevolgd door een neptuinman die bij het minste geritsel in de mimosastruiken dook, bij ieder zuchtje wind in de brem sprong.

Mijn slaapkamerdeur werd 's ochtends door haar opengedaan, 's avonds door hem op slot gedraaid.

In die eenzaamheid schreef ik, mijn geest was nog gezond, om mijn gevangengezette hart te sterken. Ik wist niet dat Scott mijn schriften las zodra ik de kamer uit was om naar het strand te gaan, op de voet gevolgd door mijn lijfwacht. Hij schreef ze over, die woorden van mij, letterlijk, soms hele dialogen, complete bladzijden die hij omwerkte tot lucratieve korte verhalen die hij vervolgens achter mijn rug om naar New York stuurde. Maar dat was allemaal nog niets.

De echte straf stond te lezen in een brief die Scott mij door een advocaat liet sturen, in sobere bewoordingen: 'Nu je een overspelige echtgenote bent geworden zul je begrijpen dat je je rechten als moeder bent kwijtgeraakt. Je hebt ons kind op de wereld gezet, maar je hebt je zo onfatsoenlijk gedragen dat ik je niet kan toestaan enige beslissing te nemen voor mijn dochter, voor nu of later. Ik verzoek je dus je op de achtergrond te houden en af te zien van elk recht met betrekking tot de opvoeding van Patricia Frances. En aangezien je voor fatsoen net zo weinig gevoel hebt als voor verantwoordelijkheid, denk ik dat deze regeling je wel goed uitkomt: je bent nu ontslagen van de plichten die iedere rechtgeaarde ouder heeft. Ik zal zelf de kindermeisjes uitkiezen, en ook het huispersoneel, de onderwijzers en de scholen, ik zal ook bepalen wat ze in haar vrije tijd doet en wanneer en waarheen ze met vakantie gaat.'

Ik was zo zwak dat ik toegaf. Welke advocaat zou mij nu verdedigd hebben? En wie moest ik te hulp roepen? Zeker niet de Rechter: er lagen duizenden kilometers tussen ons in, we waren gescheiden door een oceaan, en ik denk dat mijn ouders er weinig voor zouden voelen deze afstand te verkleinen, die hen juist behoedde voor het schandaal.

Patti was voorgoed voor me verloren. Na de gebeurtenis in Barcelona – dat heftige intermezzo dat voor mij paradoxaal genoeg een gelukkige herinnering zou blijven – had zij heel snel eieren voor haar geld gekozen: ze had haar vader nodig in haar dagelijks leven, hij ging over het huis en over het geld, hij was beroemd en werd aanbeden (hoewel dat in feite steeds minder het geval was, maar kinderen kunnen nu eenmaal wel gevoelens van liefde of afkeer onderscheiden maar niet die van desillusie en ontgoocheling), hij was degene die de beslissingen nam voor haar welzijn en ik was de bandeloze vrouw, de gekkin die verslaafd was aan morfine, die maanden achtereen weg was, jarenlang in klinieken zat – die het huis in brand stak.

*

Ik verliet het Highland Hospital om weer in Montgomery te gaan wonen, bij mijn moeder, op het adres waar ze zich als weduwe had gevestigd, Sayre Street 322. Wat je noemt terug naar je wortels, of erger nog: terug naar je kindertijd. Er staat een kleine bungalow, die wat lager ligt dan het moederhuis. Daar wilde ik leven, alleen, in soberheid en rust. In ieder geval zou ik niet meer verplicht zijn drie keer per dag te eten. Ik ben dik geworden, zo misvormd dat ik mezelf niet meer in de spiegel herken. Mijn gelaatstrekken hebben iets deegachtigs gekregen, mijn kin is zwaarder en mijn ogen liggen dieper, weggestopt in de oogholtes. Ik ben aangekomen omdat ik te weinig beweging had, omdat ik veel te veel zenuwpillen slikte. Vreselijk. Maar het allerergste waren nog wel de *suiker-shocks* die ik kreeg.

Ik denk dat ik me nog nooit zo beroerd heb gevoeld als tijdens die insulinekuur: ik moest grote hoeveelheden zetmeel naar binnen werken, en ze propten me vol met suiker, door mijn eten en via een infuus... en daarna gaven ze me insuline-injecties, waardoor ik in een coma raakte. Dat hebben ze zo vaak gedaan dat ik nu eigenlijk niet meer weet of ik nog wel bij bewustzijn kwam tijdens die drie maanden dat de suiker-shocks duurden, waardoor ik twintig kilo ben aangekomen.

(Goeie god... godverdomme, als er ook maar iets bestaat hierboven, een hogere macht – ach, laat die me dan verlossen van dit soort goed bedoelde martelingen!)

Patti zegt dat het niet hindert dat ik ben aangekomen, omdat ik toch te mager was. Wat kan mij dat schelen! Ik heb het gevoel dat ik alle controle kwijtraak, niet alleen lichamelijk maar ook intellectueel. Ik zit opgesloten achter twee dikke barrières: de muur van de inrichting en die van mijn vet.

Vanuit mijn raam zie ik hoe sproeivliegtuigen op weg gaan naar de velden, waarover ze een fijne gele of blauwe regen verspreiden, al naargelang de aard van het dodelijke middel. Mijn verdriet is mateloos. Waarom wilde Scott mij houden, waarom heeft hij me opgesloten om me te houden, om me misschien pas af te danken wanneer ik versleten en verlept ben? Ik had Joz kunnen hebben. Ik zou hem twee kinderen hebben gegeven, een zoon, Montgomery, en een dochter, Alabama, en we zouden een stevig huis gebouwd hebben op het strand en ik zou daar geschilderd hebben, ik zou daarginds zijn geweest, in zijn veilige armen, op de beste plek van de wereld om te schilderen. Op hem kon ik vertrouwen.

Ik kan Scott niet eens haten. Tegenwoordig zie ik hem meer als een knulletje van tien jaar oud. Ik houd zo veel van hem dat ik hem niet kan vertellen hoezeer hij mij gekwetst heeft.

Al een hele tijd praten we niet meer echt met elkaar, Minnie en ik. Onze vroegere verbondenheid heeft het moeten afleggen tegen haar afwezigheid bij mijn huwelijk, de dood van de Rechter en de zelfmoord van Anthony junior. We werken samen in de tuin. Moeder weet erg veel van tuinieren, ze kan stekken en enten als een vakman. Vaak moet ik stoppen, omdat ik halverwege de middag al aan het eind van mijn krachten ben: ik doe niets meer aan lichaamsbeweging, en doordat ik voortdurend opgesloten zat en al die medicijnen en zenuwpillen moest slikken, is mijn lijf kapotgemaakt en functioneert het niet meer. Minnie daarentegen is met haar bijna tachtig jaar vaak energieker dan ik. Als ze ziet dat ik

94

transpireer, en bleek en uitgeput ben, laat ze me onder de pergola zitten of in de koele schaduw van een Paulowniaboom en dan drinken we daar in stilte ijsthee. Er wordt geen woord gezegd over Francis en zijn Californische maîtresse, geen woord over wat ik schrijf of schilder, en maar zelden wordt er gesproken over Patti die ergens aan een universiteit studeert, heel ver bij ons vandaan.

'Voorbij onze aardbol die niet meer is dan een wachtkamer'

1926 Gisteravond was ik uitgedost in een zwarte, nauwsluitende jurk, helemaal bestikt met gouden pailletten die schitterden onder de verlichting van het Ritz, ik voelde me heel kostbaar en begeerlijk – idioot die ik ben! Ik was de vrouw van de bekendste schrijver ter wereld en in deze categorie ook de jongste: negenentwintig. Maar al op mijn zesentwintigste was ik verslagen, het leek alsof ik zijn slavin was, of zijn hond. Scott bekeek me met zijn groen-blauwe *glance*, een zelfde soort blauw als in zijn glazen gin.

'Zo, dus je hebt nu een schubbenpak aangetrokken,' zei hij met dubbele tong. 'Dat viel te verwachten.'

Ik dacht dat hij raaskalde, dronkenmanspraat uitsloeg.

'Ik hield echt heel veel van je, Scott. Ik ben geen zeemeermin. En ik kan absoluut niet toveren. Mijn liefde voor jou was alles, Goofo.'

'Je kletst maar wat. Geen hond die je gelooft.' Hij begon kakelend te lachen: 'Ik dacht trouwens helemaal niet aan een zeemeermin. Eerder aan een adder. Je bent verachtelijk.'

Toen moest ik weer denken aan het idee dat Jozan me het jaar daarvoor had ingefluisterd: 'Vertel hem dat je vreemdgaat. Als hij dat weet, geeft hij je je vrijheid wel terug.' Maar nee. Als hij bedrogen wordt, ziet hij me juist weer als zijn vrouw – die hij weliswaar niet begeert maar wel voor altijd wil bezitten.

Ik geloof dat wij niet helemaal normaal zijn. Nu hij me kwijt is heeft hij me opeens weer nodig. Scott was en bleef een romanschrijver: nadat hij me gestraft had, probeerde hij me te veranderen.

Hij koos de meest gerenommeerde psychiaters. Zo blijven we omringd door beroemdheden.

*

Er waren zo veel lachwekkende ijdeltuiten bij de Steins. Die blaaskaak van een Lewis had de avond al verpest doordat hij zijn nieuwste verhalen mocht voorlezen, waarvoor alleen de Fransen applaudisseerden, omdat ze er geen jota van begrepen. Ik ben hem gesmeerd met René. Echt, ik ga veel liever dansen bij La Revue nègre, of bij Polidor, of La Coupole... René is een jonge, niet erg mannelijke dichter (Scott vindt hem niks) die samenleeft met Coconut, een onweerstaanbare nicht, een landgenoot van mij – een heel goede schilder trouwens, naar mijn mening. Ze nemen me mee naar de tenten op de Rive droite, de homobars van Montmartre of de Champs, waar ik me eigenlijk best op mijn gemak voel, en ook naar kosmopolitische dansavonden, die ik geweldig vind, waar je gezichten ziet van het bleekste wit tot het donkerste zwart met alle tinten bruin daartussenin. Scott danst al eeuwen niet meer, niet met mij, met niemand. Hij vindt dancings saai, hij heeft een hekel aan die rode muren en oranje en blauwe lampen en hij wordt gek van de tango-orkesten, voorlopers van de jazz. Ik krijg er juist altijd een apart gevoel, het is alsof je in het

buitenland bent maar toch ook thuis: met hun getemper-
de licht, dat zo prettig is voor mijn gevoelige ogen, en
met hun opwindende muziek doen die tenten me denken aan de illegale dranklokalen van Manhattan, en vooral aan de clandestiene dansgelegenheid aan een inham
van de rivier de Alabama waar op zaterdagavond Auntie
Julia en haar zus stonden te zingen te midden van dronken, hitsige mannen. Tallulah en ik pakten onze fietsen
en gingen door de kieren van de houten omheining van
het danslokaal naar hun zangvoorstelling kijken. En we
deden net als zij: daar buiten konden we urenlang onge-
remd dansen, onze jurken tot aan ons middel opgebon-
den.

Coconut giechelt wanneer grote kerels met ongetwijfeld hoerige bedoelingen tegen hem aan wrijven en hem
onder het dansen omarmen en optillen. Soms verdwijnen ze naar de kelder, waar het verboden is voor vrouwen, de rookkamer zeggen ze, van waaruit Coconut later weer opduikt met een rood hoofd, een stompzinnige
glimlach op zijn lippen en de wazige blik van iemand die
seks heeft gehad. 'Dit is toch echt een ongelofelijke stad
hè?' sist hij in mijn oor. 'Het lijkt wel of alle nichten en
alle potten en alle negers uit Amerika de stad Parijs als
toevluchtsoord hebben gekozen. Alles kan, alles mag.'

– O ja, en waarom mag ík dan niet roken?

Als Coconut in lachen uitbarstte, voelde ik me altijd
ongemakkelijk. De lach die uit zijn keel opborrelde
droeg eerder verdriet in zich dan vreugde.

En dan René, die zegt de vreemdste dingen. Dat ik net als een soort planeet een hele andere baan moet gaan beschrijven, bijvoorbeeld. Deze baan verlaten voor een andere, ver weg, veel verder weg dan onze aardbol die alleen maar een soort wachtkamer is. Hij zegt dat zelfmoord plegen een chique daad is, als je het maar doet te midden van witte camelia's en vaasjes met viooltjes: het bloed op het laken zal er des te roder door kleuren. Ik heb een zwak voor zulke mannen, zulke beelden. Waarom ben ik geen man? Mijn liefde voor mannen zou dan veel gemakkelijker zijn! Ik ben anders. Breekbaar, zeggen ze. Geschift, zeggen ze met nadruk. *So weird.*

'De camelia is het zinnebeeld van mijn land,' zei ik. 'Een staat die jullie vast niet kennen – een uithoek van de wereld. Alabama.'

– Dan kom ik daar bij jullie zelfmoord plegen. In Alabama.

3

Na het feest

'Het betreft hier een angstige jonge vrouw
die uitgeput is door haar werk in de wereld
van de beroepsdans. Heftige reacties, verscheidene zelfmoordpogingen, die op tijd
verijdeld konden worden.'

Professor Claude,
psychiater in het Malmaison
Verslag over Zelda Fitzgerald

Struisvogelveren

Het leven verklaren verklaart niets.

Hoe meer ik me verlaat op de jonge dokter van het 1940 Highland Hospital, hoe meer ik me realiseer dat het verstand tekortschiet als je het wezen ervan probeert te vatten. Ik heb al zo veel van dit soort artsen gezien. ('Zeker honderd!' zegt Scott nadrukkelijk en ik hoor hem al de optelsom van even zovele honoraria maken.)

Deze is jong, en zacht, zijn donkerblauwe ogen rusten op me zonder achterdocht, zonder me te willen ontleden.

Dertien maanden van mijn leven – dat lijkt weinig maar het is al veel te veel – heb ik me moeten verbergen om te kunnen schrijven. Ik was eenendertig jaar oud. Toch liet ik het gebeuren dat ik beheerst en overheerst werd door een echtgenoot die jaloers en neurotisch was en met wie het bergafwaarts ging. Totdat het niet meer leefbaar was.

En voor het eerst in tien jaar, na minstens twintig klinieken op twee verschillende continenten, dit keer, eindelijk, zegt deze jonge arts: 'Ik geloof u.'

. . . .

Scott pist stomdronken in de wastafel. Soms ernaast. 's Ochtends vind je opgedroogde druppels urine op de vloer, gele strepen op de tegels. Leef ik in een dierentuin? Is de roem bedoeld om de dierentuin te verbergen? Toch was dat onze afspraak – wat we elkaar beloofd hadden tenminste: alles mocht, maar wel met inachtneming van de grootst mogelijke hygiëne. Ik geloof echt dat ik mijn man aan het verliezen ben. Hij die vroeger zo verfijnd was, een Pietje Precies, begiftigd met een uiterst gevoelig reukorgaan, neemt tegenwoordig genoegen met de armen van het eerste het beste wijf met een grijs gerimpelde nek. Hij ruikt zelfs zijn eigen akelige, stinkende adem niet meer. Hij zakt steeds dieper weg. Glijdt af. Misschien sneller dan we denken.

Want de wereld is er nu op uit om ons te beschadigen: ze zeggen dat Scott zo snel veroudert, dat hij dik wordt, dat de alcohol hem lelijk maakt. Maar wat denken ze dan wel, die imbecielen? Zijn boeken gaan hem dwars door het lijf, zijn te weinige romans en de vele, vele teksten die hij voor het geld schrijft. Bijgevolg zijn die boeken ook dwars door míjn lijf gegaan. Sommige mensen denken dat schrijven zoiets is als een lang gesprek voeren met jezelf, of als biechten bij de familiepriester (ik herinner me nog goed de pastorie van Saint-Patrick, de katholieke prevelementen van de Ierse pastoor die naar frituur rook, en ik werd misselijk van de tuberozen die in een vaas op het kleine altaar stonden, de tuberozen en de ranzige olie, de zoete weeïge geur vermengd met baklucht, ik werd draaierig, slechte combinatie dacht ik, gevaarlijke combinatie, ik dacht dat ik ging flauwvallen, op de zwart-witte stenen vloer), en voor weer anderen is schrijven net zoiets als op de divan gaan liggen bij de een of andere meneer of mejuffrouw Freud.

Maar niets van dat al: schrijven, dat is meteen overgaan tot serieuze zaken, rechtstreeks de hel in, een permanent vagevuur, en af en toe een vreugde-uitbarsting met een ontlading van duizend volt.

*

Gisteren, rue de Fleurus, bij de Steins.

Lewis: 'Schrijven, dat is boksen met je medebroeders, of die nu levend of dood zijn.' Er werd geklapt, gegrinnikt, Scott verslond hem met zijn ogen, triestig, maar ook betoverd.

'Wat een eikel,' fluisterde René. 'Is dat nu de nieuwe Amerikaanse generatie?

– Hij heeft ongeveer net zo veel diepte als een bak water, zei Coconut, in het Frans en hard genoeg om gehoord te worden. Kom mee, Zelda, dan gaan we echte mannen zien boksen.

Scott zag me met hen vertrekken en glimlachte minachtend. Toen draaide hij zich met vochtige ogen om naar het schaamteloze genie dat hem achter zijn rug om nu al te kakken zette. Maar dat wist Scott niet. Scott wilde een man om van te houden, om te aanbidden, hoe vals en wreed die man ook was.

Ik zou het niet wagen zijn liefde voor mij te vergelijken met die voor zijn vader, maar wel vraag ik me soms af of hij ooit meer van mij gehouden heeft dan van Lewis, of van Wilson, of Bishop. Die bezetenheid waarmee hij me wil bezitten, noem je dat liefde? Nooit heeft hij naar mij gekeken op de manier waarop hij die avond naar Lewis keek: intens en vol overgave. Vlammen dansten in zijn verwijde pupillen. Van die ogen heb ik alleen de bleekgroene, elegante, bijna doorschijnende iris gekend, en het wit dat explodeerde door de alcohol. Maar dit vuur in zijn zwarte pupillen, door wat voor gevoel is dat plotseling ontstoken? Die vraag stel ik mezelf steeds weer. Zal ik me altijd blijven stellen.

*

Ik heb mijn moeder nooit gekend als jonge, fleurige vrouw (toen ik werd geboren was ze al oud en dik, met zieke nieren) maar een foto van toen ze twintig was toont haar in al haar verleidelijke schoonheid: een melkwitte huid en porseleinblauwe ogen, met daarbij een soort adelaarsneus, een nobele neus die goed past bij het korset en de lange blonde pijpenkrullen en bij de naam van de vereerde voorouderlijke pionier.

Mijn arme moeder is niet altijd een voorbeeldige Amerikaanse vrouw geweest: ooit droomde ze ervan actrice en zangeres te worden. Maar haar vader (mijn grootvader de slavenhouder en senator) liet weten dat hij haar liever eigenhandig zou wurgen dan dat hij haar naakt in een snollentent zag optreden. Naakt, dat zei hij. Terwijl zij alleen maar wilde zingen en acteren.

Gekoeioneerd, ingetoomd, gebroken.

En door zelf te koeioneren brak ze op haar beurt weer anderen.

Op de avonden dat ze zong, waren door Auntie Julia's haren altijd gardenia's gevlochten. Haar zuster Aurora, voor wie zingen de enige fatsoenlijke bron van inkomsten was, trad op in een jurk van flinterdunne stof, en haar enige attribuut was een waaier van veren met glinsterende stenen – een sensuele luxe die me sprakeloos maakte. Tal en ik hadden uiteindelijk een comfortabele plek gevonden achter de kroeg, een perfecte kijkplaats, bij een half openstaand luik waardoor we de zangeressen alleen op de rug zagen, Auntie met haar zware schouders, Aurora en haar mooie billen bloot onder haar jurk, en we keken recht in het gezicht van al die opgewonden mannen met zwarte, hitsige ogen, zodat het was alsof zij naar óns staarden. Op een avond, toen we weer eens in onze schuilplek zaten om van het verboden schouwspel te genieten, werden we ontdekt door twee bezoekers. De koppen van die mannen! toen het tot hen doordrong dat daar twee blanke jonge meisjes zaten, dochters van een senator en een rechter – wier werk het is negers zoals zij zonder pardon aan de hoogste boom op te knopen –, toen ze zich realiseerden wat er zou zwaaien als de marshall en zijn mannen ooit lucht zouden krijgen van onze aanwezigheid op dit verboden terrein. Wat zouden de mensen wel niet zeggen? Dat ze hen verkracht hadden natuurlijk, gedwongen alcohol te drinken en toen tot alles gedwongen, en wat zouden ze zelf wel niet vertellen, die blanke, rijke heksjes, om zich vrij te pleiten jegens hun vaders, de mannen der Wet?

In drie seconden en drie zinnen had Auntie me flink de waarheid gezegd. Ik moet bekennen dat ik daar niet blij van werd, en Tallulah ook niet. Het was juist veel te fijn om daar bij die kroeg naar de muziek te luisteren en te dansen, we gedroegen ons misschien een beetje losbandig, dat wel, maar we hadden er geen idee van dat we iets misdeden, we hadden niet de bedoeling te provoceren. We hadden het naar onze zin, we dansten. Wat is er nu verkeerd aan dansen?

. . . .

In de tijd dat hij mij het hof maakte, had Scott me een grote waaier van blauwe struisvogelveren cadeau gedaan die ik mijn hele leven bij me heb gehouden, ook als ik weer eens opgenomen moest worden. De waaier had altijd een vaste plaats – of ik hem nodig had of niet – in een zijvak van de koffer.

*

In de bussen van Parijs, in de bars, in de jazzcafés, overal kom ik veel zwarten tegen (de mensen hier zeggen 'kleurlingen', net zoals de aristocratie van Alabama waartoe ik behoor) en die zwarten bewegen zich vrijelijk, niet gescheiden van de blanken, ze hebben een eenvoudige glimlach, en hoewel ze schoon zijn, honderd keer schoner dan de kleurlingen bij ons, duizelt het me soms als ze hun jasje halfopen laten hangen of de mouwen van hun smetteloze overhemden opstropen, want dan zie ik Auntie voor me, mijn kindermeid... *nou ja, niet Auntie zelf maar haar jonge zoon, die zo zachtaardig was en zo welgemanierd, die in de stallen werkte en mij, toen ik klein was, op mijn Appaloosa-pony hees. Soms stak ik expres mijn voet naast de stijgbeugel zodat ik in zijn armen viel. En in zijn armen liggen, dat was   dat was   dat was   verkeerd het was heerlijk, omdat het verkeerd was   denk ik.*

Als ik daar nu aan terugdenk, aan dat paardje met zijn witte vacht vol zwarte spikkels die met een licht penseel in Chinese inkt getekend leken, dan probeerde dat dier – voor mij toen een reuzenpaard – ons iets te vertellen.

Die dag in 1920 dat ik het huis verliet, toen Scott me kwam ophalen van het station – de dag dat mijn prins me ontvoerde – bekeek mijn vervreemde moeder me op de veranda, van top tot teen, vol afkeer. Uiteindelijk bleven haar ogen rusten op de krans van gardenia's die Auntie door mijn haar gevlochten had: 'Natuurlijk... dat ontbrak er nog maar aan: een negerinnenkapsel.'

Dansen

Place de Clichy. Ik heb zo veel uren aan de barre gewerkt, op spitzen, dat mijn voeten bloeden en de spieren aan de binnenkant van mijn dijen gescheurd zijn door het rekken. Ljoebov zegt dat ik overdrijf, en dan lacht ze en pakt een roze sigaret met een gouden mondstuk, die ze, hoe weet ik niet, uit haar verloren Rusland laat komen. Toen ik op de boulevard een taxi probeerde te krijgen kon ik alleen maar moeizaam hinken, wijdbeens en met voeten die in brand leken te staan. De taxichauffeur aarzelde of hij me wel zou laten instappen, alsof ik gek was of gevaarlijk. Maar ook hij moest later lachen: 'Toen ik u zo zag strompelen dacht ik dat u misschien bezig was een kind te krijgen en dat het vruchtwater op mijn achterbank terecht zou komen. Maar nee, u bent dus danseres? In welke club?'

Ik wilde een ballerina zijn. 'Je begint niet met dansen als je al dertig bent,' zei Ljoebov, maar ik had een mooie stapel groene bankbiljetten op tafel gelegd. 'Ik ben zevenentwintig, madame. En ik heb als jong meisje gedanst, tot m'n zestiende.' Ze haalde haar schouders op en nam nog eens een flinke trek van de roze sigaret met het gouden mondstuk. 'Nou, dan heb je mij dus eigenlijk niet meer nodig.'

Ik had zo graag nog tijd gehad, voordat ik een ster zou zijn, voordat ik zelfs maar deel uitmaakte van het corps de ballet. Tijd om een debutante te zijn, een meisje met een lachwekkende tutu, een klein, lichtvoetig danseresje. Maar op je achtentwintigste heb je die tijd niet meer. Hopeloos, las ik in de zwaar opgemaakte ogen van Ljoebov. En dat ik toch wel lichtelijk gestoord moest zijn. 'Dan wordt het elke avond na zessen, na afloop van mijn les.' Ik: 'Maar ik wil niet alleen zijn. Ik wil aan het ballet meedoen.' Zij, weer driftig trekkend aan haar roze-gouden sigaret: 'Morgen wil ik u alleen zien. Daarna nemen we een beslissing.'

Fitz klaagt. Ik kom te laat op de soirees. Ik verschijn nauwelijks toonbaar aan de diners bij de Steins, de Murphy's, de Molloys, de Gulbenkians, de Malones – *please, leave me alone.*

Soms ruik ik onder mijn armen naar zweet, zegt hij. Soms ben ik vergeten in de taxi mijn haar te doen en lijk ik op een straatmeid, zegt hij ook. Hij schaamt zich voor me. Dat is niets nieuws, maar het wordt erger. Beneden in de toiletten van de Dôme vind ik steun bij Lulu als ik me ga opknappen. Haar coke doet me niets, geloof ik, maar ik neem hem toch, want ze zegt dat als je tegelijkertijd een glas bourbon in één teug achterover slaat, de kans groot is dat je je daarna gelukkig voelt, en vol zelfvertrouwen. Soms wilde ik dat ik nooit meer naar boven hoefde, dat ik bij Lulu kon blijven, kijken hoe de klanten hun muntjes in de schotel gooien. Sommigen komen alleen maar naar beneden om sigaretten te kopen, anderen maken geheimzinnige gebaren naar haar en dan verdwijnt ze even in haar vestiaire en overhandigt hun in ruil voor een in vieren gevouwen biljet een in achten gevouwen papiertje met daarin de Lulu-dosis.

De mannen, die hoor je pissen in het urinoir, je hoort ze doortrekken maar je hoort vervolgens geen water uit de kraan stromen, geen stuk zeep om zijn scheve as draaien, en geen geluid van de rolhanddoek. En daarna strelen ze je wang, smeren boter voor je op een toastje en kus jij hun vingers om ze te bedanken. Francis vergeet ook altijd zijn handen te wassen, als hij dronken is. Dan kan ik hem wel vermoorden.

Het stinkt naar garnalen als hij in bed stapt en met de lakens de lucht verplaatst. Hoe is het mogelijk dat ze zichzelf niet ruiken? Ze zouden een rode kop krijgen en het bed uit springen als ze het zouden weten, als ze zelf maar hun geur van garnalen zouden ruiken. Of van Italiaanse kaas. Of van een lijk.

Maar nee, ze gaan zichzelf uit de weg. Dat is hun grootste karwei, hun belangrijkste bezigheid: dat lichaam vermijden waarmee ze pronken en waarvan ze zelf de grootste afkeer hebben.

Ik kom binnen in de kamer waar Scott schrijft. Ik wacht tot zijn vingers aarzelen, de toetsen van de schrijfmachine zich losmaken van het papier, een paar seconden in de lucht blijven hangen alvorens weer toe te slaan. Scotts rug schokt in de stoel.

Ik vraag hem, en waarschijnlijk schreeuw ik enigszins: 'Hoe komt het dat ik mezelf niet meer herken op al die foto's? De ene dag ben ik nog een glimlachende, blonde jonge vrouw met fijne trekken en mooie krullen, ik lijk wel een actrice, en tien dagen later zie ik eruit als zo'n vreselijke matrone met vierkante kaken en man-

nentrekken, heb ik een kop als een stakende havenarbei-
der. Hoe kan dat nou?'

Scott draait zich om, neemt me minachtend op: 'Wat
mij betreft ben je nog steeds dezelfde, Baby.'

Het is mij verboden 'kantoor' te zeggen om het vertrek
aan te duiden waar hij schrijft. Een kantoor is voor kler-
ken, voor secretaresses, verzekeringsagenten en rijke-
luisjongens die een eigen kamer hebben met een chique
bureau en een eigen leren stoel. Hij is snobistisch als
een arme sloeber – een arme sloeber die zich schaamt.

Tegen bezoekers zeg ik 'zijn privézitkamer', of 'zijn
werkkamer', maar tegen mezelf lieg ik niet en zeg ik 'de
stinkkamer'. Tabak, dure alcohol waarvan de whisky-
lucht zelfs in de muren getrokken is, en het lichaam van
een man die niet goed meer voor zichzelf zorgt, die 's
ochtends en 's avonds vergeet te douchen, het wekelijk-
se bad overslaat; een onfrisse, uitgezakte, futloze man
die zichzelf verwaarloost.

Wat mij betreft, ik kan niet over eenzaamheid klagen,
want in al die suites of villa's en appartementen heeft
niemand er ooit aan gedacht mij een eigen kamer te geven, ach! met een rommelkamer was ik al zielsgelukkig
geweest, een berghok voor mij alleen, waar ik had kunnen schrijven. Maar zoiets past niet in het beeld van het
Ideale Paar, en ook niet bij de wereld van de Lost Genera-
tion, dat is een aangelegenheid van blanke narcistische
kerels.

Kon ik die Lewis maar castreren, dat zou me gelukki-
ger maken dan wat dan ook. Zijn ballen met dat kostbare

sap eraf snijden, die twee gezwellen waarop hij zo trots is. Jammer genoeg heb ik net zomin als een schrijftafel een vivisectiebed dat nodig is voor dergelijke spelletjes. Ook niet de wreedheid, trouwens. Het stoute meisje in mij is moe aan het worden. Heeft er genoeg van. Is binnenkort verdwenen.

Als we terugkomen van onze nachtelijke kroegentochten doorkruisen we vaak delen van Parijs waar de armen wonen, angstaanjagende wijken, zwarte straten waarvan de stenen onder je schoenzolen vettig aanvoelen door een mengsel van roet en smerig water, terwijl achter de door lepra aangevreten gevels, in halfdonkere gangen en op trappen met wankele leuningen, de lucht van kool en stamppot zich vermengt met de stank van de latrines op de overloop. Vanochtend, toen we een taxi zochten na een bezoek aan La Cigale (waar we ons doodverveeld hadden en lauwe champagne hadden gedronken, ingeklemd tussen een neerbuigende Picasso, een kwebbelende Cocteau, een knappe Radiguet die afwezig leek en drie bepluimde prinsessen die voor muze speelden terwijl ze niet méér zijn dan een bankrekening), hebben we rondgezworven door smalle straatjes te midden van omgevallen vuilnisbakken. Slagers droegen op hun schouders wit-rode karkassen met een akelige, koude lucht, in de bistro's werd voor de nieuwe dag zaagsel op de vloer gestrooid en de conciërges, die met grote gebaren hun emmers waswater met creosoot leeg gooiden, leken het gemunt te hebben op de voeten van voorbijgangers en de konten van zwerfhonden. Scott mompelde, terecht: 'Die vreselijke achterbuurten... Niks dan el-lende.' Ik drukte hem tegen me aan, ik kuste zijn mond en vergat de stinkende adem. Soms houd ik zo veel van hem.

Het is net alsof we in een lichtbol leven, een aura die ons allebei omgeeft en zich met ons verplaatst. Op zulke momenten zijn we eeuwig.

*

Gisternacht hebben we zo gelachen en gezellig gegeten, het gezelschap was geweldig en we gingen dansen...

Jammer genoeg zijn mijn tenen kapot en loopt het bloed in mijn satijnen schoenen. Mijn noodlot gaat zijn eigen weg, en mijn sprankjes hoop lopen op niets uit. Sommige mensen zeggen dat ik het zelf gewild heb, dat ik mijn ongeluk heb opgezocht. De sukkels!

Ik herinner me nachten in Camp Sheridan, waar ik net zo lang danste tot ik onder mijn voeten het leer van mijn zolen voelde branden door de wrijving met de houten vloer. Dan deed ik mijn schoenen uit en ging verder op blote voeten. De vliegeniers applaudisseerden, net als de monteurs, en de verbindingsmensen, en de luchtverkeersleiders. Mijn rokken wervelden in het rond en met een opgeheven vinger en een grijns op mijn gezicht deed ik gebaren van de jongens na, zonder te begrijpen wat die betekenden. Ik was de jonge lichtekooi, het sletje van de Montgomery-bourgeoisie, Miss Alabama van de kazernes en de gevangenissen. En zelf had ik geen idee.

Wie zou dat veroordelen? Niemand kan zeggen dat

het niet heerlijk is in de armen van een man, de armen om je heen te voelen van een lieve, serieuze jongeman die gaat vertrekken naar zoiets absurds als een oorlog. Je zou ze als hinderlijke types willen wegjagen, al die verminkte gezichten van oorlogsslachtoffers die je in de metro en in de ongure buurten van Parijs tegenkomt, met hun ondoorgrondelijke koppen onder de hechtingen en de aan elkaar genaaide gezichtsdelen. Hun voorkomen is even afzichtelijk als onze moraal monsterlijk.

'Ik zou graag wat meer inzet zien,' klaagt Ljoebov. 'Ik ben eraan gewend dat mensen alles opofferen voor de barre en de spiegel. Ze verwarren oefening met kunst, maar wat jou als opoffering voorkomt is alleen maar de trieste, harde werkelijkheid. Want zoiets als een gave of bestemming bestaat niet, lieve schat, er is alleen dat vreselijke oefenen, dat zweten en kreunen en smeken dat uiteindelijk de basis vormt voor de kunst. Als je tenminste de spiegel vergeet.

Hoe wil jij nou dansen? Je benen zijn veel te mager, je enkels zijn niet dikker dan mijn polsen. En tussen de enkel en de knie zit alleen maar bot – geen enkele spier, niets wat ook maar op een kuit lijkt. Je benen zijn verzwakt, meisje. Ik kan het je beter maar meteen zeggen, anders ga je valse hoop koesteren.' Als de zaken er zo voor staan, dan moet ik twee keer zo hard werken. En ik laat van alle foto's de onderkant afknippen, zodat niemand ooit meer mijn stokken van benen kan zien.

De avond viel. Ik ging in de schemer op een bank zitten op de boulevard des Batignolles, waar de kastanjes geuren en vanwaar ik de Cinema Pathé-Clichy kan zien: geen bioscoop, en ook geen theater. Het is een wonderbaarlijk schip, een boeg van glas die over het plein vooruit steekt en de rue d'Amsterdam in wil glijden, van zijn scheepshelling omlaag tot aan het Gare Saint-Lazare. Sommige avonden dat ik uit de studio kom ben ik te uitgeput, te vermoeid om mensen te zien. Dan ga ik op die bank van de Batignolles zitten en kijk net zolang naar het bioscoopschip tot ik geen idee meer heb van de tijd. Ik vraag me af of ik ooit een gebouw heb gezien, een monument eigenlijk, dat zo mooi is, zo fragiel en ijzig en glinsterend met duizend lichtjes.

... Net zoals even later de traptreden van de metro schitteren, zwart asfalt ingelegd met mica, zodat iedere pas, iedere tree een langzame afdaling is naar de omgekeerde hemel, die zwarte nacht van tunnels waar je onder de gewelven tevergeefs zoekt naar vertrouwde sterren.

Het terras van La Rotonde. Ik ben te laat maar niemand heeft iets gezegd, ze kijken allemaal bewonderend naar Kiki, een knap jong hoertje dat poseert voor armlastige kladschilders, ze zit zo onder de verdovende middelen dat je de afloop al kunt raden. Hoe kunnen mannen met zoiets naar bed gaan, de een na de ander, zonder daarvan te walgen? Kennelijk hebben ze totaal geen gevoel voor eigenwaarde, of misschien vinden ze het juist fijn hun apparaat in de smerigheid van hun voorganger te dopen, worden ze opgewonden van die zwijnerij. Vijf uur later stond die Kiki nog steeds te zingen, in de Jockey, en de baas van de tent moest haar tot zwijgen brengen: je kon niet eens meer dansen, zo brulde ze boven de muziek uit. Mijn linkervoet deed vreselijk pijn, ik wilde naar huis, maar ik kon niet lopen. Scott haalde zijn schouders op. Te beroerd om de dancing te verlaten en een taxi voor me te roepen.

Scott zegt dat ik jaloers ben, dat die Kiki de muze van belangrijke moderne schilders is en dat ik niets begrijp van haar talenten als zangeres. Scott zegt: 'Ik verbied je de metro te nemen. Je hebt er geen idee van hoe gevaarlijk dat is – en ongepast ook nog! Jezus, hou toch eens op met dat gehink. Doe niet zo zielig.'

Ik weet niet meer hoe we in de bar van het Lutetia belandden en nog minder hoe we in de vroege ochtend terechtkwamen in de auto van de Sjah van Perzië, met Scott die, rood van opwinding en gelukkig als een kind, schreeuwde: 'Hij heeft me de sleutels gegeven, Baby! Ik heb de sleutels van die slee gekregen!' Ik zat achterin met twee hoeren, een meisje en een jongen. Voorin zat Maxwell, slecht op zijn gemak, hij smeekte Scott hem het stuur over te geven en toen de limo aarzelend door een van de hekken van het Louvre reed, hoorde ik hem murmelen: 'Godzijdank'. Maar bij het tweede hek, op de hoek van de rue de Rivoli, raakte de auto van de weg en de linkerpilaar rukte een stuk van de voorkant af en ook het portier van de bestuurder. En ja, toen ben ik gaan gillen. Ik geloof dat ik er allerlei scheldwoorden uit gooide waarvan ik niet eens wist dat ik ze kende. Maxwell zei: 'Rustig nou, Zelda, dat heeft geen enkele zin.' Scott lalde tussen twee stompzinnige lachjes door: 'Oeps! Mijn Baby is niet tevreden, Baby is boos,' en ik had zo'n pijn aan mijn voet, zo'n verschrikkelijke pijn dat ik niet eens uit de auto kon springen om weg te vluchten.

Voor de deur van ons gebouw nam Maxwell afscheid en gebood de twee hoeren met hem mee te gaan. Nauwelijks waren we uit de piepende lift gestapt (Scott ging weer eens als eerste en liet de zware liftdeur voor mijn neus dichtvallen), we waren de drempel van het appartement nog niet eens over, of hij ging in de aanval. Hoe durfde ik zo tegen hem te spreken in het bijzijn van anderen? Erger nog: in het bijzijn van zijn uitgever! De sjah van Perzië, oké, maar Maxwell?

Ik zei: 'Maak je je zorgen over wat Maxwell denkt? Dat is misschien wel onze enige echte vriend! Hoe vaak heeft hij jou niet opgeraapt als je weer eens stomdronken was, Maxwell heeft je uit zo veel bars weggehaald dat hij de kleur en de lucht van je braaksel kan dromen! Ík maak me zorgen over die pokkenslee, zoals jij dat ding noemt! Van welk geld moeten we die laten repareren?'

Toen wilde hij op me afkomen maar struikelde over het kleed: 'Rotwijf... Maxwell is mijn vriend, niet die van jou... zal nooit die van jou zijn... Max weet maar al te best wat voor iemand jij bent, maak je maar geen zorgen!' Hij doet een stap, wankelt, richt zich op maar draait rond, zet nu allebei zijn voeten vast in het kleed – *ook uit Perzië*, denk ik, maar ik kan er niet om lachen. Ik help hem opstaan, til hem op onder zijn oksels, hij wil me wegduwen, me slaan, maar zijn vuisten zijn twee stuurloze stompen. Ik laat hem los, hij zwaait wild met zijn armen in het rond om zijn evenwicht te bewaren, zijn verlepte gezicht vindt heel even het strakke en stralende van vroeger terug, maar dan wint de zwaartekracht het: hij valt achterover op zijn zitvlak en stoot zijn hoofd tegen een tafelpoot.

Tranen van woede staan in zijn ogen: 'Kreng! Kutwijf! Ben je ook met Max naar bed geweest? Je bent met al mijn vrienden naar bed geweest! Zodat ze op me neerkijken... de vrraders... verraders!'

Ik hoor mezelf zeggen: 'Ik ben met niemand naar bed geweest, Scott. *Niemand van jouw vrienden.*'

Hij staat weer, klampt zich vast aan de rug van een stoel, keurt me met zijn blik, probeert de afstand te meten van de kortste weg naar de badkamer waarheen ik gevlucht ben, neemt een aanloop, versnelt maar zijn knieën knikken en buigen door als de poten van de stier in de arena, hij doet zo wanhopig zijn best dat hij uitglijdt en op zijn knieën op de tegelvloer terechtkomt en met zijn kin tegen de badrand klapt. Ik gooi hem een doos kompressen en een fles waterstofperoxide toe.

Ik zeg: 'Nu heb je eindelijk een litteken, Goofo, een houw, net als de stoere jongens, de echte mannen. Je kunt met trots zeggen dat jij dat ook in een gevecht hebt opgelopen.'

Hij kreunt: 'Lewis..., nee. Die krijg je niet, Lewis is van mij.'

Ik: 'Ik zou eerder zeggen dat jij van hem bent. Maar je mag hem hebben hoor. Die zal nooit mijn vriend zijn, zoveel is zeker.'

Als ik het medicijnkastje dichtdoe zie ik mijn gezicht in de spiegel. Ik ben honderd jaar oud. Honderd en geen weg terug. De vliegenier is mijlenver van mij verwijderd. Wat heb ik gedaan?

*

Lulu noemt Lewis O'Klojo. 'Meestal mag ik jullie Ameri-
kanen wel – en niet alleen vanwege de fooien – maar
deze vent, werkelijk, die kan ik niet luchten of zien. Jezus, wat een verwaande zak! Denk-ie soms dat-ie indruk
maakt? Nou, mooi niet! Mannen zoals hij, die ken ik
maar al te goed, die kom ik de hele tijd tegen: ze willen
hoger pissen dan hun edele kont, maar echt, Zelda, 't is
een flapdrol. Zo eentje die van alles verzint, een fantast,
en weet je wat ze zeggen: al die heldendaden, al die ge-
vechten, die dapperheid in de oorlog – allemaal overdre-
ven of misschien wel totale kletsica.'

Hij is zo opgeblazen, zo vol van zichzelf. De manier
waarop hij me laatdunkend bekijkt, terwijl hij aan zijn
Cubaanse sigaar lurkt en vervolgens Scott een vermoei-
de blik toewerpt, die weer teniet gedaan wordt door een
roofdierachtige glimlach: arme Fitz, je bent werkelijk
met een stomme trut getrouwd die ook nog eens geschift is en een slet op de koop toe.

En die suffe Fitz bloost als een kind dat voor het eerst
communie doet, drinkt uit de kelk en verslindt de hostie
van Lewis' woorden, alsof hij niet zelf de grootste schrijver van onze generatie is, en die ander, O'Klojo zoals
Lulu zegt (daar moet ik nog steeds om gieren van de
lach), niet een armlastige stilist van deze tijd en de
slechtste schrijver aller tijden. Scott verbeeldde zich dat
hij Lewis nodig had, met diens sportieve gedoe en patri-
ottistische zekerheden, dat hij bij hem zijn problemen
als man en zijn onzekerheid als kunstenaar kwijt kon,

121

terwijl het juist de ander was, die dikzak met zijn opgedroogde aders, die torerorukker, die probeerde zich te la-
ven aan Scotts talent, die iets van dat bevoorrechte bloed
wilde opzuigen dat hij zelf nooit zou hebben; in zijn late-
re romans werd duidelijk dat hij totaal niets snapte van
mannen, en ook niet van vrouwen. Om te kunnen begrijpen moet je liefde voelen, maar die lul van een Lewis
hield alleen maar van zijn eigen persoon, en die stelde
zo weinig voor, dat had je gauw gezien...

'Daar trappen alleen onnozele halzen in,' zei Lulu
over de held Lewis, zij had al zo veel van die fantasten
meegemaakt, ze had haar buik vol van dat soort verhalen. Ik zei tegen Lulu dat ze zo'n mooie sjaal om haar
hoofd had. 'Een echte Schiaparelli, schat. Een of andere
chique dame – of misschien een minder chique – heeft
hem op een bank laten liggen, en toen is Gaston, de
hoofdkelner, naar beneden gekomen om hem aan mij te
geven.' Ze knoopt de vierkante sjaal los om hem in zijn
geheel aan me te laten zien, en ik moet lachen: onder de
luxe zijde verbergt Lulu haar hoofd met krulspelden. Ze
voelt aan de rollers om te zien of haar haar al droog is, en
dan maakt ze het op haar dooie gemak los, terwijl ze zich
hier en daar met een speld op haar hoofd krabt. Haar
brokkelige nagels zijn gelakt in een tint van oud brons,
precies dezelfde kleur als de munten die op haar schotel
vallen.

Ljoebov slaakte een kreet van afgrijzen toen ze mijn ontstoken voet zag: 'Je bent gek dat je daarmee doorloopt!'
We namen een taxi naar het ziekenhuis, waar een chi-

rurg het abces open sneed en toen met een lage basstem zei: '*Kindje* (zo toegesproken te worden gaf me rillingen, in een flits dacht ik aan de harde armen van de Rechter, aan de dorre handen van die vader die mij nooit had geliefkoosd of tegen zich aangedrukt. Het was alsof de chirurg met zijn dikke rode bakkebaarden – eerlijk gezegd had hij een nogal afstotelijk gezicht, als van een menseneter – mij wilde laten zien wat nu eigenlijk een echte vader was, een liefdevolle vader), kindje, je mag je gelukkig prijzen dat een amputatie niet nodig zal zijn. In die wond van je zit iets akeligs dat Gouden Stafylokok heet.

– Gouden? Dat is tenminste nog iets.

Ik hield me groot, maar ik hoorde mijn stem trillen onder het operatiehemd.

'Juich maar niet te vroeg, dametje. Er is nog iets: je moet stoppen met dansen.'

– Voor hoe lang?'

Hij sperde zijn ogen met de rode wimpers wijd open.

'Nou... voor altijd, meisje! Niet meer dansen, nooit meer. Ik heb een spier moeten verwijderen uit de voetboog, en daardoor zal een aantal gewrichtsbanden afsterven.

– Word ik invalide? Krijg ik gangreen en moet u dan mijn voet eraf halen, is dat het?

– Nou nou, niet zo hard van stapel lopen! Dat is nu weer het andere uiterste. Die gangreen, die ga ik behandelen, laat dat maar aan mij over. En jij, jij moet verstandig zijn. (*Bij deze woorden haalde Ljoebov haar schouders op en schudde haar hoofd, op een verbazingwekkend nobele manier; ik herinnerde me dat zij ooit in haar land een prin-*

ses was, prinses Troebetskoj.) Ik weet zeker dat je, met jouw temperament, spoedig weer rondrent. Het zal nauwelijks te zien zijn dat je mank loopt. Je zult een beetje hinken, misschien... Hinkepinken, meer niet. Neem maar van mij aan dat je snel zult herstellen.

Sanatorium 'Malmaison'

Ik ben nooit een huisvrouw geweest, heb nooit een huis- houden bestierd. Dat laat ik aan de plichtsgetrouwe moekes over. Ik heb nog nooit een diner georganiseerd, *1930, april*
ik kan zelfs geen ei koken. De afwas, de was, *nada*. Maar eigenlijk was er ook nooit iets om voor te zorgen, geen huis, geen huishouden, geen wasgoed: we hadden ge- woon niets! We zijn de hele tijd aan het verhuizen naar weer een hotel of de zoveelste gemeubileerde woning. Maar niets bezitten nekt ons. Het idee om een paar la- kens te kopen is nooit bij ons opgekomen. Dus u kunt zich voorstellen, professor, een laken of zelfs maar zoiets als een zakdoek borduren, zoals de brave huis- vrouwtjes doen... Ik hield van dat leven, van dat hecti- sche bestaan. Scott zei tegen zijn vrienden: 'Ik ben met een wervelwind getrouwd.' U hebt er geen idee van, pro- fessor, hoe hevig de onweren in Alabama kunnen zijn. Ik ben net als de lucht in mijn land. Ik kan binnen een minuut veranderen. Wat een ironie van het lot dat ik moet eindigen als een gevangene in een ziekenhuiska- mer, dat ik ben gereduceerd tot een vrouwenlijf met een hoofd dat uit het dwangbuis steekt.

Ik heb nooit, niet één keer, eten voor mijn dochter klaargemaakt.

Ik heb nooit een zinvolle opdracht weten te geven aan een huisknecht, een kindermeisje of een kokkin.

Ik houd trouwens helemaal niet van eten. Lange tijd

125

at ik alleen om middernacht, een spinaziesalade met champagne. In Parijs probeerden sommige vrouwen me na te doen, een souper 'à l'américaine' noemden ze dat. Na twee dagen vielen ze flauw.

Mijn uitzonderlijke lichaam heeft geen enkele brandstof nodig.

Anorexia? Wat nu weer? Vindt u niet dat mij behalve astma en eczema al genoeg afwijkingen zijn aangepraat? Moeten er nog nieuwe bij verzonnen worden? Ja, ik ben acht kilo kwijt geraakt, omdat ik vijf uur per dag dans en daarna zo moe ben dat ik een hele maaltijd niet door mijn keel krijg.

O! Weet u, toen ik gisteren mijn appartement verliet om een rondje door het park te maken, liep ik in de gang twee gasten tegen het lijf die ik ken: Léon, de decorontwerper van de Ballets Russes, en Ravel, de componist. Ze zeiden dat ze hier waren omdat ze overspannen zijn. Zijn we dat eigenlijk niet allemaal...? Drank? Wat drank? Ik weet best dat ik hier dronken aankwam, maar zonder die liter wijn had ik echt niet de moed gehad om in de taxi te stappen. Maakt u zich maar geen zorgen over de alcohol. Als ik weer met dansen begin, dan is het daarmee helemaal afgelopen.

Heeft mijn man u verteld dat het San Carlo Ballet uit Napels me gevraagd heeft voor een solo? Een engagement bij de opera, denkt u zich eens in! Ik moet hier zo snel mogelijk weg, professor, dit is de kans van mijn leven, die kan ik toch niet missen! Als mijn voet is genezen, kan ik eindelijk weer dansen. Ach, het is geen sterrol maar wel een grote bijrol die net zo belangrijk is als de hoofdrol. Ik ben trouwens gewend aan waardeloze bijrollen.

. . . .

De vliegenier, die zorgde dat ik at. Met drie keer niks, twee dennenappels en drie druiventakken, maakte hij een vuur op het strand en dan aten we vis die 's ochtends gevangen was, en zoete tomaten boordevol zon, en perziken, en abrikozen. Met de bloemen van courgettes maakte hij geraffineerde beignets, licht en luchtig – eigenlijk was de vette, zware keuken van mijn jeugd een belediging voor je smaak en je lijf.

Toen de vliegenier op een dag in ons huisje stond af te wassen, draaide hij zich met een brede glimlach naar me om, zijn ogen twinkelden: 'Verlos me van mijn twijfels. Je bent toch wel echt een vrouw, hè?'

. . . .

Ik huil, zegt u? O ja? Ach, jee, ja... ik huil.

Als ik mijn ogen dichtdoe, als ik mijn hand uitstrek, dan kan ik zijn gezicht aanraken, zijn krullende haar dat altijd nat is, zijn donkere mannengeur.

De laatste keer dat ik heb gehuild, was ik een jaar of zes. Wat vindt u daarvan?

Ik weet wel wat ze over me zeggen. Wat Scott zegt, of mijn moeder, mijn zussen.

Ze liegen, of eigenlijk: ze vergissen zich. Scott en ik hadden elkaar nodig, en allebei hebben we de ander gebruikt om ons doel te bereiken. Als hij er niet was geweest, was ik getrouwd met die kleurloze jongen, de plaatsvervangend procureur van Alabama, dan had ik me net zo goed in de rivier kunnen gooien met mijn zakken vol lood. En zonder mij had hij nooit zo'n succes gehad. Misschien waren zijn boeken dan niet eens uitgegeven. U moet niet denken dat ik een hekel aan hem heb hoor. Het lijkt misschien alsof ik hem haat. Maar ik bewonder hem juist. Ik heb al zijn manuscripten gelezen, ik heb ze gecorrigeerd. *The Great Gatsby*, die titel heb ik bedacht, terwijl Scott zelf zich verloor in allerlei wilde suggesties. Ik acht mijn man hoog, professor. Maar die gezamenlijke onderneming van ons, dat is geen liefde.

De liefde, die heb ik gekend op het strand van Fréjus.

De liefde heeft voor mij maar één maand geduurd, en die maand vult mijn hele leven. U moest eens weten hoe.

Ik weet dat voor u alleen de familie telt, dat die het belangrijkst is. Dat geldt waarschijnlijk voor de meeste mensen op aarde. Maar ik kan toch anders zijn? Als ik u zeg dat die maand dat ik er vandoor was met de vliegenier, belangrijker is geweest dan al het andere, waarom gelooft u me dan niet?

Scott en ik waren geen man en vrouw. Broer en zus misschien, zoals Bishop en Wilson zeggen. Maar geen minnaars. Niet getrouwd in de klassieke zin van het woord.

Op het strand van Fréjus heb ik een maand lang gemeend te begrijpen wat dat had kunnen zijn, een huwelijk.

. . . .

Heb ik u verteld dat mijn man homoseksueel is? Ja? Ik heb het altijd geweten, dat is wat me in hem aantrok en ook waardoor ik aarzelde met hem te trouwen. O nee, hij heeft zelf geen idee.

In het begin vormden we een soort homoseksueel stel, we waren heel hecht, briljant en spraakmakend. Als ik in die trant over ons sprak, haalde Scott zijn schouders op. Maar ik ben ervan overtuigd dat ik het goed zag.

. . . .

Wat ik zo-even zei, is niet helemaal waar: uiteindelijk had ik in het begin van ons huwelijk wel degelijk een taak als echtgenote, toen we nog in Amerika waren. Ik had een rol bij het in stand houden van ons leven als echtpaar: omdat we voortdurend verhuisden, had Scott me opgedragen met de clandestiene alcoholverkopers te flirten, waar we ook maar terecht kwamen, zodat hij altijd verzekerd was van de beste drank uit de buurt. Scott nam de kwaliteit van zijn drank heel serieus. En ik deed het graag.

Als ik echt van hem had gehouden, zou ik dat dan ook gedaan hebben?

Als hij echt van mij had gehouden, zou hij me dat dan ook gevraagd hebben?

*

Ik zei dat ik naar huis wilde, weer wilde gaan dansen. Professor Claude zei: 'Ga maar, mevrouwtje, ik zie geen enkel bezwaar, maar vergeet niet rust te nemen.' Een week later heb ik een vreselijke scène geschopt toen ik Lewis en Scott betrapte in de slaapkamer – waar was het ook alweer? het appartement in de rue Pergolèse? of in de rue de Tilsitt? of een suite van het George V? – en ik moest mezelf morfinespuiten geven. Drie injecties, om te kalmeren. Professor Claude deed net alsof ik Malmaison tegen zijn medisch advies in had verlaten. Alsof ik weggelopen was. Natuurlijk geloofde Scott hem.

Aan deze weg naar Zwitserland komt maar geen einde. Een doods stilzwijgen in de auto. Newman is bij ons, mijn zwager, uit Brussel gekomen om me over te halen het gekkenhuis weer in te gaan. Soms denk ik dat mijn zus Rosalind er ook is, dat ze op de achterbank van de Renault naast me zit. Haar glimlach licht op in het donker. Haar ene oog knipoogt geruststellend, als een goedgezinde vuurtoren. De foto van Ljoebov, die ik vier jaar lang bij me droeg, heb ik vernietigd. Al mijn tutu's en een koffer vol dansschoenen heb ik weggegooid. Ljoebov heeft het nog zwaar met me te stellen gehad toen ik laatst op een avond stomdronken de studio binnenkwam en iedereen ging uitschelden. Ljoebov probeerde me te kalmeren: 'Ze bieden je een rol als eerste danseres aan in de Folies Bergère. Je kan niet weigeren, je mag nu niet opgeven.' De Folies Bergère! Tsss, het idee! Ik weet dat ik mijn kruit heb verschoten, het uiterste van mijn lichaam heb gevergd zonder de volmaaktheid te bereiken, en dat dit lichaam me van de ene dag op de andere in de steek kan laten. Ik ben gewoon opgebrand. En toch is dansen het enige wat ik op de wereld heb.

Kliniek 'Les Rives', Prangins, Zwitserland

'... Als ik een boodschap kon laten bezorgen bij mijn man, die reden gezien heeft om me hier in incompetente handen achter te laten. U zegt me dat mijn baby zwart is – dat is belachelijk, dat is heel goedkoop.'

F.S. FITZGERALD
Tender is the Night

'Mijn beste mevrouw Fitzgerald, u hebt de beproeving van de elektroshocks dapper doorstaan. U bent weer kalm en evenwichtig. We gaan nu met gesprekstherapie beginnen. En dan geleidelijk de medicatie afbouwen. Ik wil u verzoeken een aantal vragen te beantwoorden die u waarschijnlijk lachwekkend voorkomen. Maar u moet toch proberen zo serieus mogelijk antwoord te geven.

– Ik ben Zelda Sayre, geboren op 27 juli 1900 in... eh, ik weet het niet meer precies. Niet in welke stad en ook niet in welke staat. Is dat erg?

– Gaat u rustig verder, maakt u zich geen zorgen.

– Ik ben de echtgenote van Francis Scott Key Fitzgerald, de vader van mijn kinderen.

– Uw *kinderen*?

– Scott wilde een zoon en ik had daar natuurlijk geen bezwaar tegen. Dus gaf ik hem een zoon, een prachtige jongen. Hij heette... Zo'n mooie jongen. Ben ik nu behalve de plaatsen ook de namen vergeten...? Montgomery natuurlijk, ik noemde hem Montgomery. Montgomery Edouard Key Fitzgerald. Monty voor zijn pappa en mij. In de tang van de arts uit Lausanne was hij niet groter dan een muis. Een zacht, roze muisje.

– Zeg eens... mevrouw Fitzgerald, hebt u uw pillen wel ingenomen? Of hebt u misschien ergens in uw kamer alcohol verstopt?

– Wat denkt u wel, dokter? Mijn man is heus niet tegen abortus. Als het hem goed uitkomt, is hij er erg vóór. Trouwens, het kind was beslist niet van hem.

– Daar gaat u weer. U verzint maar wat, om hem te beschuldigen.

– U moet maar geloven wie u wilt. Ooit in mijn leven heb ik een zoon gehad.

*

Mij vastbinden in een stoel, is dat niet nogal onmenselijk voor een vrouw als ik die alleen maar van dansen houdt, *Herr Doktor*?'

Chaumont moest lachen. Hij is Frans, en tot in het diepst van zijn botten anti-Duits. Dat is het enige wat we gemeen hebben.

*

1931, Prangins, nog steeds Al bijna een jaar zit ik hier, alleen, aan mijn lot overgelaten in deze instelling, in een land dat me volkomen vreemd is, aan de oever van een meer dat zo levenloos is dat je zin krijgt je erin te verdrinken. Ik schrijf om de tijd te doden. Ik schrijf schriften vol, vooral over Joz, maar het gaat me slecht af, dat voel ik. Ik schrijf sentimenteel, als een meisje, alleen ben ik dat niet meer. Eigenlijk zou ik over oorlog moeten schrijven, de oorlog tussen twee mensen. Dokter Chaumont zei vanmorgen dat ik jaloers was. Ik antwoordde met een schouderophalen: mijn man mag naar bed gaan met wie hij wil, het bed is nooit onze favoriete plek geweest. De dokter schudde zijn hoofd: 'Nee, u begrijpt me niet. Ik zeg dat u jaloers bent op hém. Niet op een andere vrouw. Op hemzelf.'

Jaloers op Scott? Belachelijk. 'Ik ben niet jaloers,' antwoordde ik. 'Ik had hem wel willen zijn, of een rib uit zijn lijf, de lijnen in zijn hand. Ikzelf had het namelijk heel goed zonder de rest van de wereld kunnen stellen. Het enige kind dat ik van hem wilde was hijzelf.'

De dokter: 'Kom nu, u liegt. U liegt tegen uzelf. De wereld, dat was uw leven. U wilde het succes net zozeer voor hem als voor uzelf. Dat is een verlangen waardoor u verteerd wordt, een waanzinnige wil om succes te hebben.' Hij sloeg zijn ogen neer. 'U hebt geen huwelijk gesloten, beste mevrouwtje. U hebt een publiciteitscontract getekend.'

*

Ben ik zo cynisch? Was ik dat al op mijn zeventiende? Is dat mogelijk?

Ik zou me beter gevoeld hebben in een hutje op het strand van Fréjus of Juan, waar hij had kunnen schrij-

133

ven, waar ik had kunnen dansen, of schilderen, waar hij dag en nacht geschreven zou hebben, waar ik overdag geschilderd en 's nachts gedanst zou hebben. Ons leven zou heerlijk geweest zijn.

Niets zou ons bedrukt hebben. Snapt u: geen enkel verdriet, geen enkel vreemd lichaam, niets had ons tweetjes kunnen beschadigen. Niemand zou zich aan ons storen, niemand zou iets op ons aan te merken hebben. We zouden allemaal dansen. We zouden allemaal de dag plukken. Wie zou me dat misgunnen?

4

Terug naar mijn land

'Ga uit elkaar, dat is het enige wat erop zit.
– Maar hoe moeten we dan leven?
– Als mensen.'

JUAN RULFO,
Pedro Páramo

1932, Baltimore, Maryland

Mijn ogen zijn moe. Ik kan absoluut geen schel licht meer verdragen. In mijn suite (welnee, zeggen ze, het is helemaal geen suite, gewoon een grote kamer in een luxekliniek), verspreiden alle lampen gedimd licht, omdat ze omwikkeld zijn met doeken en zijden lappen, en als ik naar buiten ga doe ik dat alleen met een zwarte zonnebril op en een hoed met een brede rand, voor het geval de zon schijnt. Als dat oud worden is, nou, bedankt dan, laat die beker maar aan mij voorbijgaan.

Vanochtend kwam Scott me wat spullen brengen, maar hij wilde niet in mijn kamer komen. We bleven in de grote olifantachtige stoelen in de hal van de kliniek zitten, een niemandsland dat zo chique en gedempt is dat je je in de lobby van een groot Parijs' hotel waant. Hij was slecht op zijn gemak en kletste maar wat, ik antwoordde met grimassen. 'Eigenlijk,' zei hij, 'vergist iedereen zich in jou, en jij weet jezelf goed te verbergen. Je bent een clown, mijn kleine, eeuwige clown, treurige clown, vrolijke clown, lieve clown, gemene clown. Met jou hoef ik me nooit te vervelen.'

En ik dan? Zou ik me soms niet vervelen? Wie vraagt daarnaar? Wie kan dat wat schelen? Ik ben de clown die door het gelach is weggevaagd. Ik ben de clown die verdwenen is onder de schmink.

Hij heeft vanochtend eigenlijk maar de helft gebracht van wat ik had gevraagd. Vijf pakken papier, dat wel, maar de schrijfmachine was hij vergeten. Vals reikte hij me zijn vulpen aan, die ik weigerde: die kostbare, met hout en goud ingelegde pen? Zonder inkt om hem te vullen...? Net genoeg om een taartrecept mee te schrijven voor mijn dochter. Nu is het welletjes. Echt.

Ik ging naar de brandkast van de kliniek en vroeg mijn sieraden te zien, en ongemerkt haalde ik er mijn saffieren broche met diamanten van ons tienjarig huwelijk uit en ruilde die tegen een draagbare *Underwood* schrijfmachine waar de verpleegster, een tweelingzuster van Lulu (dezelfde verlepte kop, dezelfde grove grappen, dezelfde wijnadem) mee kwam aanzetten. Ik heb haar niet gevraagd hoe ze eraan kwam. Ik draaide er meteen een vel papier in en begon te schrijven. Twee dagen later bezorgde Lulu-de-tweede me een pak carbonpapier.

. . . .

Ik was mooi. Tenminste, dat zeiden ze op school, maar het waren daar natuurlijk allemaal simpele knullen die 1940 onder de indruk waren van mijn naam, mijn brutale gedrag en mijn schaamteloosheid. Tegenwoordig doet het er niet meer toe. Dat is een van de weinige voordelen als je zo veel hebt gedronken zonder te eten en te slapen, zo veel van alles overmatig hebt gedaan: je versleten lichaam houdt de schijn niet meer op, het idee dat je je mooi moet maken bestaat niet meer.

En die nieuwe, die Sheila, is die dan tenminste mooi? Ze zeggen dat ze blond is maar niet platinablond, dat ze slank is maar niet mager, en rimpelloos en charmant, met een klein wipneusje en een schattige glimlach – een Amerikaanse *darling*. Ze heeft zo veel mislukte castings gedaan dat ze uiteindelijk haar gebrek aan talent wel onder ogen moest zien en zich bekeerd heeft tot secretaressewerk, of iets dergelijks: ze zal hem in ieder geval niets van zijn glans ontnemen. Nu is het mannetje eindelijk baas in eigen huis.

Ach, misschien neemt zij de taak op zich die ik altijd heb geweigerd: de fanmail van de bewonderaarsters sorteren en behandelen. Maar nee, ze zitten op zwart zaad, en de enige post die ze in die rotbungalow in Malibu Beach ontvangen, zijn brieven van deurwaarders.

1932, La Paix

Gisteren ben ik uit het ziekenhuis ontslagen, na vieren-eenhalve maand opgenomen geweest te zijn (officieel deed ik een rustkuur. Nou, wat heb ik gerust zeg, wel twee jaar lang! Nog even en ik weet zelfs niet meer wat ze bedoelen met vermoeidheid). Niemand wachtte me op toen ik naar buiten kwam (Scott was al weken niet meer sober geweest, hij had de datum ergens opgeschreven en was hem vervolgens vergeten), zodat ik een ambulance van de kliniek moest vragen me naar ons nieuwe landgoed La Paix te brengen. Ik weet niet waar die Franse naam vandaan komt, maar als ik aan mezelf denk, aan mijn eigen toestand en die van ons als echtpaar, dan vind ik hem behoorlijk ironisch. Scott is niet krenterig geweest: het victoriaanse huis telt vijftien kamers, en het park evenzoveel hectares. Ik weet nog steeds niet wat de voornamen van de bedienden zijn – met dat soort zaken houd ik me allang niet meer bezig. Scott schrijft met nieuwe energie en een hervonden zelfvertrouwen, zegt hij; ook met drie flessen gin en dertig blikjes bier per dag. Patti heeft vriendschap gesloten met de buurkinderen, die ongeveer van haar leeftijd zijn. Ik heb niets in te brengen – die buren werken me op de zenuwen, ik verdraag ze zwijgend gedurende eindeloze avondvisites waar wij de burgermensen uithangen.

Ik ben heel braaf geworden, vindt iedereen. Verdomd, tien jaar geleden zou ik, gapend van verveling, mezelf te midden van alle feestgangers uitgekleed hebben en was ik onder hun gegeneerde blik dwars door de salon gelopen om een bad te gaan nemen. Tegenwoordig kunnen zulke provocaties (ikzelf vond mijn gedrag eigenlijk helemaal niet raar, juist grappig en amusant, ze moesten er trouwens altijd allemaal om lachen, onze oude vrienden uit Manhattan, Parijs of Antibes) en zelfs kleine gekkigheden me niet meer opvrolijken; ik zou er alleen maar mijn dochter mee in verlegenheid brengen, die heel zedig en gereserveerd is – zij wel.

Ooit ben ik met een ambitieuze kunstenaar getrouwd, en zie mij nu eens twaalf jaar later: een uitgerangeerd oud zeurwijf, opgescheept met een notoire dronkenlap die tot over zijn oren in de schulden zit. Zes maanden lang heb ik mijn dochter niet gezien. Ik mocht haar wel een wit met zwarte merrie cadeau doen waar ze heel schattig en zelfbewust op rijdt.

Het volgende gebeurde een paar avonden later: weer een nacht van zuipen, hij hangt in een stoel, met gezwollen oogleden en een dubbele tong, ik stamp met mijn voeten en maai met mijn armen door de rooklucht van de salon – een eekhoorn die als een bezetene de tredmolen laat draaien in zijn kooi.

Hij: 'Je gaat dat niet publiceren. Niet die rotzooi, die verzameling troep. Denk aan onze dochter, verdomme! Wees nu eens één keer een moeder en denk aan haar!'

Ik: 'Vind je dat? Dat ik me moet inhouden? Jij hebt je het recht voorbehouden mij te laten opnemen. En ik heb die vier maanden opsluiting benut om een boek te schrijven waar mijn uitgever weg van is...'

Hij: 'De mijne! Het is mijn uitgever!'

Ik: 'Je kunt geen rechten meer op me doen gelden, je kan me niet verbieden het te publiceren.'

Hij: 'Ik ben het hoofd van het gezin toch zeker? Ik heb het recht... ik heb de plicht mijn dochter te beschermen... onze naam te beschermen... ons geld te beschermen.'

Ik: 'Welk geld? We hebben geen rooie cent meer, arme stakker, we zijn volkomen blut.'

Hij: 'Ik sta in mijn recht. Ik ben het hoofd van het gezin, en de baas... Wat er in die snertschrijfsels van jou gebeurt, dat is van mij... dat hoort bij mijn roman, je had het recht niet om dat in te pikken.'

Ik: 'Die is goed zeg! Ben je gek geworden of zo? Het is míjn leven, en ik beschrijf het.'

Hij: 'Je steelt mijn materiaal. En waar moeten we van leven, als jij mijn inspiratie weghaalt, als je het werktuig naar de verdommenis helpt?'

Ik: 'Inspiratie? Welke dan? Wat voor roman? Bedoel je dat klad waarop we al tien jaar zitten te wachten en waar elke maand een regeltje bijkomt?'

Hij: 'Je bent een dief. Je bent gestoord, je maakt alles kapot. Wat denk je nou? Dat niemand zal zien dat je mij hebt nageaapt? Dat niemand zal begrijpen dat die onzin op papier regelrecht uit het gekkenhuis komt? Jij moet altijd alles kapotmaken. Je kan niet anders. Maar ik ga het je beletten...'

Geld was zijn antwoord op alles, zijn excuus voor alles.

*

'

'Weet je, Baby, je verhaal zal veel beter verkopen als mijn naam erbij staat. Ze staan erop, bij dat tijdschrift. De uitgever heeft vijfhonderd dollar extra geboden als ik samen met jou teken.' Ik dacht niet na, ik had er vertrouwen in – ik denk dat ik nog steeds van hem hield, hoe ongerijmd de term houden van me tegenwoordig ook voorkomt met betrekking tot onze weinig liefdevolle relatie – en zelf wilde ik ook geld, maar zonder het gevoel van revanche, zonder die speciale wrok te kennen die aan hem knaagde als hij bedacht dat hij ooit een arme, aan lager wal geraakte jongen was te midden van rijkelui, de zoon van een nietsnut die zelfs z'n zeep niet kon verkopen en toen door ordinaire waspoederfabrikanten als een hond werd afgedankt. (Misschien is dat ook wat ons bij elkaar bracht en maakte dat we zo graag bij anderen in de smaak vielen: we hadden ons, ieder op onze eigen manier, voor onze vaders geschaamd. De Rechter was oud en saai, zonder enige charme of persoonlijkheid. Naar bed om half acht 's avonds, elke avond van het jaar. Mijn vriendinnen en mijn vriendjes geloofden hun ogen niet. Ik dacht altijd dat ze er achter mijn rug de draak mee staken. Ik heb nooit geweten wat mijn vader dacht, waarvoor hij bad, wat hij hoopte, of hij gevoelens van spijt had, of geheime verlangens, of verborgen pijn, en zelfs dat mysterie kon hem in mijn ogen niet aantrekkelijk maken.)

Mijn eerste verhalen zouden in de kranten verschijnen onder onze beider namen:

'OUR MOVIE QUEEN'

A MODERN TALE

BY SCOTT AND ZELDA FITZGERALD

Totdat ze op een dag, zonder ophef – maar die kwam natuurlijk snel genoeg – mijn naam onder aan de tekst hadden weggelaten. 'Tweeduizend dollar, Baby, ik kon echt niet weigeren. Het was heel moeilijk dat verhaal geplaatst te krijgen, weet je. Die schurken van de *Chicago Sunday* waren de enigen die het wilden... maar alleen op deze voorwaarde, ja, dat we net doen alsof ik de geestelijk vader ben. Maar ze krijgen verder niets meer, goed?' Vaderschap, zeggen ze. *Let's father the story on him.* Schrijven is een mannenaangelegenheid. Het goddelijk recht om te schrijven valt toe aan de mannen. En het moederschap? Dat woord wordt alleen gebruikt voor het dragen, voeden en verschonen van hun nakomelingen, ervoor zorgen dat de naam voortleeft voor het geval het nagelaten werk dat niet doet.

Na de schurken uit Chicago waren het de sufkoppen van de *Saturday Evening Post*: eigenlijk de schuld van de redactieassistent, die dacht dat er sprake was van een drukfout en domweg Zelda in Francis Scott had veranderd. 'Jezus, wat een ongelofelijke stommiteit,' deed Scott verontwaardigd. Ik zei: 'De raarste drukfout en de meest wonderbaarlijke correctie in de hele geschiedenis van de pers, vind je niet?' Hij: 'Hè toe, Baby, trek niet zo'n gezicht, ga zitten, drink wat, ik heb geen zin in een scène vanavond. Alsjeblieft, Baby.' Ik heb geen scène geschopt. Ik heb gewoon geen woord meer tegen hem gezegd. Twee jaar lang zwijg ik nu al. En verstop ik mijn aantekenschriften. De bedrieger bedrogen. (Hij kan zoeken wat hij wil, ik verstop ze iedere week op een andere plek en ik kan me heel goed van de domme houden, zoals de Rechter al zei.)

... Maar vanavond is het te laat, en in zijn alcoholische verdwazing weet hij dat: mijn roman komt uit, dat kan hij niet verhinderen, zoals hij twaalf jaar eerder deed, in die nacht vol ruzie toen hij Nathan verbood mijn dagboek te publiceren in *Smart Set*, mijn lievelingstijdschrift. Ik had zo graag willen weten wat ze van mijn teksten vonden. Hij verwaarloosde mijn lichaam – seks was nooit een terrein geweest waarop hij uitblonk – maar mijn intieme dagboeken vormden voor hem een andersoortig lijf waar hij als rechthebbend echtgenoot zonder enige scrupules stukjes vanaf mocht knabbelen: zonder dat zou zijn tweede roman een lege huls zijn geweest.

Toen ik gedurende mijn therapie een keer een rollenspel moest doen, werd mij gezegd: 'Jij bent de Afgunst.' En zie, eigenlijk is híj dat nu, mijn mooie man, mijn vampier, die razend is nu hij me op eigen vleugels ziet vliegen. Binnenkort kan ik van mijn zelf verdiende geld leven. Ik heb vijftienhonderd drieënvijftig dollar gekregen voor een novelle die morgen verschijnt in het Kremlin-blad (een oud grapje dat me te binnen schiet, zo noemden we *Scribner's Magazine* altijd). De titel is 'Een stel gekken'. En Scott weet nergens van. De vraag is: moet ik wachten tot hij nuchter is voordat ik hem de krant onder zijn neus duw, of moet ik juist van zijn dronkenschap gebruik maken, zodat zijn haat nog veel groter wordt en hij zelf eindelijk ook eens instort? Het antwoord: je doet niets van dat alles, je verbergt het tijdschrift – of beter nog, na lezing gooi je het weg. Probeer toch nog maar een beetje de vrede te bewaren.

Terwijl ik deze woorden opschrijf, herinner ik me plotseling dat ik als jong meisje ooit de rol van de Waanzin danste, in een ballet dat moeder had gemaakt. Boven het toneel van het Grote Theater in Montgomery was een groot geel-zwart baldakijn gespannen. Minnie had voor mij een kostuum ontworpen van zwart kant met goud, en aan de onderkant zaten kleine belletjes genaaid. De *Montgomery Advertiser* had me buitengewoon charmant gevonden. Dat was in de tijd van mijn succes. Ik was de Salamander. Maar toen al sloegen de klingelende belletjes alarm.

Ik zeg dat om even een beetje te kunnen lachen, een minuutje of één, twee.

Schrijven, 1932

Ik weet niet waar het op lijkt, dat boek van mij, dat ik in één beweging, in één pennenstreek heb geschreven. Ik weet niet of het iets aantrekkelijks heeft – geen intrige, geen ontknoping, geen sentimentele verwikkelingen – maar ik weet, ik voel dat het iets belangrijks bevat: een spanning die het geheel draagt, van het begin tot het einde. Een strakgespannen draad... die ieder moment kan knappen?

Mannen: van zichzelf zeggen ze dat ze 'gekweld' worden, en dat klinkt elegant, romantisch, het is een teken van hun superieure anderszijn. Maar zodra wíj uitglijden zeggen ze geheid dat we hysterisch zijn, of schizofreen, rijp om opgesloten te worden.

En dus word ik opgesloten, en de beschuldiging luidt dat ik wartaal uitsla als ik het over Lewis heb, terwijl, en dat verzin ik niet, Gertrude Stein heeft het ons zelf verteld, Lewis er prat op gaat dat hij al zijn hele leven, vanaf zijn vroege jeugd, een mes op zak heeft 'zodat hij alle homoseksuelen kan vermoorden'. En zo iemand zou normaal zijn? Hij vindt het onverdraaglijk dat hij Scott begeert, dus moet hij hem uit de weg ruimen. Methodisch. Hij is er al mee begonnen... Toen hij erachter kwam dat Gertrude met Alice Toklas vrijde (hij was traag van begrip, iedereen die in de rue de Fleurus kwam had het al eeuwen in de gaten), toen hij eindelijk snapte dat ze een uitgesproken lesbienne was, ging hij lelijke verhalen over haar rondstrooien. Het was walgelijk, hij had zo veel aan die vrouw te danken, ze was alles voor hem geweest: zijn leraar, raadgever, weldoener en mecenas. Maar bij mannen als Lewis zoek je vergeefs naar menselijke trekken. Iemand die zijn overhemd tot aan zijn navel open knoopt zodat je het volle zicht hebt op zijn orang-oetan bos, daar moet je niet veel van verwachten. Zou hij zich eigenlijk wel wassen? Moeilijk te zeggen; ik heb altijd al een afkeer van hem gehad, en nu hij zich als vechtersbaas ontpopt en dat in de kranten breed wordt uitgemeten, mogen wij genieten van foto's waarop hij er steeds smeriger uitziet, ongeschoren en boven zijn overhemd een vettige kraag die als omlijsting dient voor de pluk apenhaar. De guerrillero is in ieder volgend tijdschrift weer dikker. Word je van vechten dik?

'Ik weet wat ik heb gezien,' herhaalde ik, 'mijn ogen zijn prima,' dat was in die tijd nog waar. 'O'Connor zat op zijn knieën, met zijn hoofd tussen de dijen van mijn echtgenoot. Het vertrek was halfdonker, maar het schijnsel van de projector wierp voldoende licht op het tafereel en ik kan u verzekeren dat dat echt was wat ze aan het doen waren.'

'Er is nooit een projector geweest, mevrouw. Uw echtgenoot zegt dat met stelligheid. Geen twijfel mogelijk. In uw huis is nooit een projector geweest.'

– We waren in een hotel, de projector was geleend van het hotel, hij was op een muur van de kamer gericht en... ze keken naar een pornofilm waarop je twee mannen en een vrouw zag, en de twee mannen deden alsof de vrouw er niet was, als u begrijpt wat ik bedoel.

Ze schudden hun bebrilde hoofden, met die bloedeloze gezichten die even wit waren als hun jassen: 'Dat is ook weer zo'n hallucinatie, Zelda. Niet uw ogen bedriegen u, maar uw geest. Dat is nu juist uw ziekte: u moet niet geloven wat u ziet.'

Maar Scott geloofden ze wel, zijn woorden zijn goud, of beter gezegd dollars waard; mijn echtgenoot schrijft de cheques uit. 'De beelden die uw geest verzint zijn hersenschimmen, drogbeelden. Begrijpt u die woorden?'

Horen beledigingen en neerbuigendheid ook bij de behandeling?

'Ik schilder en ik schrijf, heren. Ja, ik weet heel goed wat hersenschimmen en drogbeelden zijn.' Tussen mijn tanden siste ik iets als 'klootzakken!' of nog erger, ze hoorden me, en aan de koortsachtige manier waarop ze in hun boekjes gingen zitten schrijven kon ik zien dat ik mijn situatie hiermee niet verbeterd had.

'Op welk moment merkte u dat u de controle aan het verliezen was? Waarom hebt u uw echtgenoot niets gevraagd? Om te weten of u het wel goed gezien had?'

Ik keek ze aan, een soort grijswitte muur, een vijandige, zwijgende muur.

'Als u me niet gelooft, vraag het dan maar na bij het hotel. Doe uw speurhondenwerk! Het hele hotel heeft ons gehoord: ik ben verschrikkelijk tegen ze tekeergegaan. Maar welke vrouw zou nu niet razend geweest zijn? Lewis schold me uit voor gekkin, en nymfomane, en misbaksel. Hij zei het wel drie keer: armzalig misbaksel. Hij zei: "Ga toch terug naar huis, naar dat gat van Alabama. Laat Scott verdomme met rust." Toen heb ik een grote glazen schaal beetgepakt die op de piano stond, en met al mijn kracht smeet ik die naar zijn hoofd. Jammer genoeg kon hij net op tijd wegduiken.'

Ik hoor nog steeds de oorverdovende klap, ik voelde hem tot in mijn tanden, tot in mijn botten. De schaal spatte uit elkaar met een scherpe knal, heel sierlijk maar ook beangstigend – alsof het de piano was die ontplofte. Toen Scott naar me toe wilde lopen trapte hij op de kristallen scherven waarmee het kleed bezaaid was, het leken wel hagelstenen. Zijn voeten bloedden en lieten op de grond twee rode afdrukken achter, en toen was er een heel vreemd moment waarop hij van pijn stil bleef staan, midden in de kamer, precies tussen Lewis en mij in, met zijn mond open, hij wist niet wat hij moest doen. Lewis was in een stoel gaan zitten en bezag het tafereel met een hooghartige grijns. Ik stond op mijn benen te trillen, kon geen woord uitbrengen. In de stilte zoemde de projector, en dat gezoem was het meest obscene wat ik ooit heb gehoord. Toen was er een moment dat we naar elkaar keken, Scott en ik, terwijl we ons afvroegen wie het ding zou uitzetten. En het was Scott die op de tenen van zijn gewonde voeten de kamer door liep en het apparaat uitschakelde, waardoor er een beetje lucht in het vertrek kwam. Ik voelde mijn benen onder me wegzakken, de vloer verdween, en toen was er alleen maar een groot zwart gat.

*

Ik zit op mijn knieën.

Nu ben ik op de knieën, voortaan.

1940

Ik wacht tot ze me komen halen: ik kan niet zelf opstaan.

Ze komen, ze hebben grote, witte, zachte harnassen aan, jassen van ecrukleurige stof waarin ze er neutraal en onschuldig uitzien.

Er hangt een zwarte lok voor mijn ogen, in mijn ogen, en die doorsnijdt mijn blikveld. Hoe kan het dat mijn haar in korte tijd zo donker is geworden? Als je ouder wordt, hoort je haar grijs te worden, niet zwart. Knip die lok af. Scheer dat hoofd kaal. Einde verhaal. Schrijf het volgende op: 'Een lange lok zwart haar knipte de wereld scheef doormidden, die dag dat ze, in haar eentje, naar de onverschillige zee keek, naar de mannen die liepen te roken op de boulevard, naar de vrouwen die ingepakt op ligstoelen lagen en naar de kinderen die over het strand renden.'

Ik weet hoe ik zinnen moet maken. Ik had toch een man die schrijver was, weet u nog wel. Maar ik heb het zelf geleerd, zonder zijn hulp – o nee! bepaald niet met zijn hulp. Ik kon het eerder dan hij. Ik kon al schrijven voordat hij zijn eerste pennenstreek op de eerste bladzij van zijn eerste aantekeningenschrift zette.

Schrijven kon ik goed en ik heb al zijn meesterwerken gevoed, niet als muze, niet als materiaal, maar als onvrijwillige slaaf van een schrijver die leek te denken dat een huwelijkscontract ook inhield dat je als echtgenoot teksten van je vrouw mocht plagiëren. De *shrinks* in hun witte jassen hebben een theorie: ik koester wrok jegens Scott omdat al zijn heldinnen naar mij gemodelleerd zijn, omdat hij mij als materiaal heeft gebruikt en mij mijn leven ontstolen heeft. Maar dat is niet waar, dat leven deelden we, dat materiaal was van ons samen. De waarheid is dat hij zich van mijn woorden heeft bediend, dat hij mijn dagboek en mijn brieven heeft geplunderd, dat hij zijn eigen naam heeft gezet onder artikelen en verhalen die van mijn hand waren. De waarheid is dat hij mij mijn kunst heeft ontstolen en mij ervan overtuigd heeft dat ik niks kon. Hoe moet ik me dan voelen? In de val gelopen, misbruikt, beroofd van lichaam en ziel, zo voel ik me. Dat kan je toch geen leven noemen.

De doktoren lopen weg met Scott. Hij heeft hulp nodig, Scott moet verlost worden van die doorn in zijn voet – wat zeg ik! van die speer in zijn hart, die gestoorde vrouw van hem. Ze zeggen, Scott en zijn schare doktoren, dat schrijven slecht voor me is. Dansen is schadelijk voor mijn lichaam en schrijven is gevaarlijk voor mijn geestelijke gezondheid. Wel wel. Schilderen, dat kan ermee door, schilderen is toegestaan. Het ego en de oppermacht van mijn echtgenoot zijn gered. Wie weet ga ik me wel op pornografie toeleggen, ga ik woeste schilderingen maken met veel seks en bloed. Zoiets schandaligs zou hun verdiende loon zijn.

Maar nee, ik schilder New York, ik schilder Parijs, de meest intense steden die ik gekend heb. En ik schilder Bijbelse voorstellingen, massa's allegorieën, die in Alabama veel beter zullen verkopen dan de stadsgezichten. Ik moet nu het geld zien te verdienen voor Patti en mezelf. Fitz' boeken lopen totaal niet meer, behalve in Frankrijk, waar hij nog gewaardeerd wordt. Het hoofd van het gezin, dat ben ik. En ik voel dat ik het kan. Ik ben weer gaan wandelen, meerdere uren per dag; als ik loop dan maakt mijn geest zich los, dan nemen mijn gedachten een vlucht – maar geen gestoorde. Ik krijg weer energie.

1934. Twee klinieken en een ziekenhuis

In de *Baltimore Sun* staat een foto die ik vreselijk vind: ze vroegen me voor mijn schildersezel te poseren, maar aangezien ik tegelijkertijd in de lens moest kijken sta ik er verschrikkelijk op, mijn gezicht driekwart gedraaid terwijl mijn ogen doelloos in de leegte staren. Onherkenbaar, zo mager ben ik. Mijn te kort geknipte haar maakt het er niet beter op. Ik heb een nieuwe kaak ontwikkeld, een kaak als van een paard. Dat is dan het enige aan me wat is uitgedijd, mijn benen zijn net zo dun als mijn armen. En voor die rotfoto moest ik ook nog een soort schort aantrekken, waardoor je mijn rok en mijn blouse niet ziet. O nee, geen werkschort van een schilder of beeldhouwer of zo, in de verste verte niet, maar gewoon een gebloemd schort – zo'n echt huisvrouwenschort.

Ik vind het prettig die magere vrouw te zijn, die slechte moeder en echtgenote die zich voedt met bijna niets. Scott heeft me vijftig dollar doen toekomen om verf te kopen: dat was zijn laatste bericht, zijn laatste cadeau.
We hebben zo veel
van elkaar gehouden
en elkaar ook
pijn gedaan
ik kan nauwelijks
adem halen
Wat ons bij elkaar gebracht heeft? Eerzucht, dansen, en

drank – ja, natuurlijk. Een tomeloos verlangen om te schitteren. Niets was ons te gek, geen zee ging te hoog.

Scott en ik waren kinderen van oude ouders. Kinderen van ouderen zijn geschift, dat weet iedereen, dat is gewoon zo. Ik had nog gewaarschuwd: reken er maar niet te veel op dat ik verander in een vaars met bungelende uiers. Ik zou wel een kind kunnen krijgen – misschien zelfs twee. Of helemaal geen.

. . . .

De avond dat we elkaar ontmoetten zei Scott dikdoenerig: 'Het enige wat er in het leven toe doet, dat is de overmaat, tot het uiterste gaan. Je moet in volle glorie opbranden en alles geven wat je in je hebt, want de Grote Oorlog van de Beschaving, de slachtpartij van de Oude Wereld gaat ons allemaal doden, zonder uitzondering.'

Ik was maar een provinciaaltje, een luxemeisje, dat wel, maar evengoed een domme gans. Hij mocht dan onder zijn stand leven, maar hij kwam uit het noorden, waar de mensen beschaafd zijn, en geheimzinnig koel en elegant – zelfs de meest bescheiden onder hen.

. . . .

Dokter Martha Kieffer heeft Scott een tweeledig ultimatum gesteld: 1) dat hij ophoudt met drinken; 2) dat hij bij haar in therapie gaat. Alleen als hij aan beide voorwaarden voldoet, blijft zij mij behandelen. Zo niet, dan houdt ze ermee op.

Ik heb vanavond te horen gekregen dat ik morgen word overgebracht naar een kliniek in Beacon, New York.

De doktoren hebben de rode loper uitgelegd, mijn kamer is bedolven onder de bloemen. Het consigne voor het hele personeel, op straffe van onmiddellijk ontslag: HEM niet aanspreken, HEM niet fotograferen. Hier komen zo veel beroemdheden, zo veel miljonairskinderen. Het personeel weet hoe het zich moet gedragen. Zwembaden, tennisbanen, privéappartementen met een eigen huishoudster... dit gekkenhuis slaat alles, alle paleizen die ik heb gezien, en ik zeg bij mezelf: wat krankzinnig toch dat Scott zich ruïneert om mij de mond te snoeren, terwijl hij me alleen maar bij de vliegenier had hoeven laten om van me verlost te zijn.

Ik zie heus wel dat ik verlies, gevecht na gevecht. *Zelda, je gespartel is zielig, en uiteindelijk delf je toch het onderspit.*

*

Gisteren hebben ze me in een vergaderzaaltje van het Sheppard-Pratt ziekenhuis op een lachwekkende bijeenkomst getrakteerd: op het toneel bevonden zich de psychiater, alweer de derde hier, een huwelijksadviseur die opgetrommeld was door Scotts advocaat, en ikzelf natuurlijk, of wat er van me over is. Ik krijg te horen dat mijn schilderijen over een maand tentoongesteld zullen worden in een galerie in Manhattan, maar dat ik niet bij de opening mag zijn.

Ik zal proberen de scène zo getrouw mogelijk weer te geven en de woede achterwege te laten:

De psychiater: 'Mevrouw, uw echtgenoot heeft veel

zorgen. Geldzorgen. Om maar niet te spreken van zijn artistieke zorgen natuurlijk.'

De huwelijksadviseur: 'Uw verblijf hier kost heel veel geld, door uw man worden kosten noch moeiten gespaard, daar moet u zich wel van bewust zijn.'

De psychiater: 'Hij beklaagt zich erover, en hij lijkt er echt onder te lijden, dat hij niet in staat is zijn grote roman te schrijven.'

Ik: 'Is dat mijn schuld?'

De huwelijksadviseur: 'Nee, natuurlijk niet. Maar hij zou zich wel gesteund willen weten. Tenslotte moet hij alsmaar teksten produceren, aan de lopende band teksten spuien om u allen te onderhouden, u, zichzelf en uw dochter. Uiteindelijk is hij toch het hoofd van het gezin.'

Ik: 'Die roman van hem, daar zitten we nu al tien jaar op te wachten. Daar ben ik niet verantwoordelijk voor hoor, dat het zo lang duurt. Vier jaar geleden was ik nog niet ziek. Het is echt niet mijn ziekte die hem hindert.'

De psychiater: 'Nee, nee, natuurlijk niet.'

De huwelijksadviseur: 'Als hij maar het gevoel had dat hij werd gesteund. In moeilijke tijden en in tegenspoed, gewoon wat iedere man van zijn vrouw verwacht. Zoals man en vrouw elkaar beloofd hebben. Hij houdt van u. En trouwens, hij moedigt u aan om te schilderen. Hebt u het niet aan hem te danken dat u nu toch een expositie kunt houden, bij een van zijn bevriende galeriehouders?'

Ik: 'Komt het niet bij u op dat ik dat misschien te danken heb aan mijn eigen talent? Is dat zo moeilijk?'

De psychiater: 'Schilderen is een goede therapie. Van schrijven wordt u maar weer onrustig, en dat willen we nu juist voorkomen.'

Ik: 'Ik weet heus wel dat mijn eerste roman een flop was. Dat niemand er wat in zag, de critici niet en het publiek niet. Maar ik schaam me er niet voor. En ik ga gewoon een nieuwe schrijven.'

De adviseur: 'Ik heb hier een cheque voor u. Een cheque van vijftig dollar waarvoor u verf kunt kopen. Dat is toch mooi, niet?'

Ik: 'Hij houdt van me, bedriegt me, betaalt. Ik heb het allemaal maar te accepteren, die verplichtingen waaraan hij zich de ene keer wel en de andere keer niet houdt, net zoals het hem uitkomt.'

De psychiater: 'Hij ontkent niet dat hij fouten heeft gemaakt.'

Ik: 'Dus, als ik u goed begrijp, dan ben ik de slechterik?'

De adviseur: 'U bent begonnen. U hebt als eerste overspel gepleegd.'

De psychiater, met een droog kuchje: 'Hum... in dat soort zaken is niemand schuldig, niemand slachtoffer. Hum... Geen beschuldigingen, geen excuses.'

Ik sta op, en strijk de stugge stof van de ziekenhuispyjama glad over mijn bovenbenen: 'Zakkenwassers! Lulhannesen zijn jullie, en dan weet ik niet eens wat jullie in je broek hebben zitten, misschien niet meer dan een zielig dingetje. En in die hoofden van jullie zit allemaal zaagsel!'

De psychiater: 'Verplegers!'

Ik: 'Eerst de cheque. Hier met die cheque, voor mijn verf.'

*

Uiteindelijk mocht ik toch bij de opening van mijn tentoonstelling zijn, geflankeerd door een verpleegster en een bodyguard. Ik was vreselijk zenuwachtig, ik stikte zowat, en toen ik een deur van de nooduitgang opende om een beetje frisse lucht te krijgen, sprongen er twee kerels boven op me, die me vervolgens afvoerden in het getraliede busje van het ziekenhuis.

De kritieken en artikelen in de kranten – zelfs de kranten die vroeger dol op me waren – hebben me enorm gekwetst. De jeugd en schoonheid waarmee vroeger mijn schandelijke gedrag werd vergoelijkt, ben ik kwijt.

*

Een paar maanden later verscheen die fameuze, langverwachte roman, het boek dat zowel Joyce als Proust zou verpletteren. Negen jaar om het te schrijven. Met een merkwaardige versnelling sinds de laatste vier jaar, waarin ik drie keer werd opgenomen. *Teder is de nacht*, de titel klinkt nogal komisch en ironisch: als er al sprake is van een nacht, dan is het er wel een vol haat. Hij voert míj ten tonele, ziek, tot in de kleinste details, en voorziet me van symptomen van allerlei stoornissen tegelijk: hysterie, schizofrenie, paranoia... Ondanks de verzonnen naam van mijn dubbelgangster ben ik goed herkenbaar. Ik word beschreven als een gekkin die opgesloten moet worden, een gestoord mens dat alleen rustig te houden is met morfine, slaapmiddelen en elektroshocks. Ooit

was ik zijn modelvrouwtje, en nu ben ik zijn proefko-
nijn. Zijn laboratoriumrat. In zijn ogen ben ik niets
meer waard, hij kon nog maar net de moeite opbrengen
mijn woorden over te nemen. Het ergste is dat dit boek,
deze afgrijselijke prostitutie, uitloopt op een commer-
cieel fiasco en zelfs niet voldoende oplevert om onze
schulden af te lossen. Ik zeg 'onze' schulden, zonder erbij na te denken. Er is geen 'wij' meer. En zijn schulden
zijn gigantisch.

...Weer terug in La Paix, Maryland.

Lewis O'Connor verplettert hem met zijn wereldwij-
de succes, en, wat voor Scott nog erger is, met zijn minachting, die hij tijdens diners en interviews van de daken schreeuwt. Ik kan me precies voorstellen hoe Lewis,
die eerder slim is dan intelligent, zijn voormalige vriend
en beschermer tegenover gretige journalisten zwart-
maakt en hun dan vervolgens vraagt het gezegde vooral
niet te publiceren. '*Off-the-record,*' zegt hij dan ongetwijfeld met een vette knipoog, terwijl hij heel goed weet dat
zo'n broedermoord voor die types een buitenkansje is:
modieuze schrijver gooit naam te grabbel van het idool
dat nu uit de gratie is, degene die hem heeft geholpen
zijn boeken gepubliceerd te krijgen.

Nu breken voor mijn echtgenoot moeilijke tijden aan:
het werktuig is kapot, en de salamander met de ver-
schroeide hersens geeft geen antwoord meer. Ga in 's he-
melsnaam weg, ja, ga maar naar Californië om geld te
verdienen. Duizenden kilometers kunnen ons niet
méér van elkaar scheiden dan dat monsterlijke boek. Hij

krijgt niets meer van me, ik heb mijn laatste rol gekozen: ik zal een stomme pop worden, een huls zonder inhoud.

Mijn volgende roman schrijf ik in het geheim. De verstopplaats is de laatste twee jaar zeker honderd keer veranderd, afhankelijk van de kliniek waar ze me heen brengen en de medeplichtigheid van het personeel (mijn man schrijft aan alle instellingsdirecteuren een brief waarin hij hen gebiedt er vooral op te letten dat ik niet ga schrijven; sommigen zijn gehoorzamer dan anderen en laten mijn kamer doorzoeken). De zeldzame keren dat ik verlof krijg de kliniek te verlaten, houdt Scott me nauwlettend in de gaten in dat enorme huis, ik moet vreselijk veel moeite doen om nieuwe verstopplekken te verzinnen. Soms heb ik het manuscript zo goed verborgen dat ik vergeet waar, op welke verdieping, in welke kamer, achter welke betimmering of onder welke vloerplank. Ik heb dan ook geheugensteuntjes nodig en schrijf de plek op papiertjes, die ik dan ook weer verstop. Scott weet best dat ik schrijf, en het maakt hem dol dat hij niet de hand kan leggen op mijn schrift met aantekeningen. Daaruit zal hij geen enkel idee, geen enkele regel kunnen stelen.

Het lijkt wel een spel, een treurig spel, waarbij ik probeer mijn huid en mijn verstand te redden.

Het verhaal van mijn broer

Vrouwen laten zich soms op de knieën vallen, schijnt het, om iets van mannen gedaan te krijgen. Om Joz' 1940 zoon te behouden had ik misschien inderdaad moeten smeken – of vluchten. Maar op de knieën? Over mijn lijk. Ik was de dochter van de eerste rechter van het Hooggerechtshof, de kleindochter van een gouverneur en een senator... Vluchten dan...? 'Je bent een waardeloze echtgenote,' sisten de kokkin en de huisknecht van de villa du Cap me toe, met zo veel minachting in hun stem dat ik veel liever had gehad dat ze me voor hoer uitmaakten. Ze hebben me gestraft, ik ben weggesleurd uit het strandhuisje waar ik leefde van de liefde en de schaamteloosheid, ze hebben me meegenomen, ver bij hem vandaan, en met niemand anders in de auto, tijdens de hele zenuwslopende rit over de met mimosa omzoomde kustweg heeft niemand een woord tegen me gezegd. Ze hebben me gedwongen mijn kind te vermoorden.

Ooit ben ik zwanger geweest van een zoon, een paar weken van mijn leven. Zijn graf was een vuilnisbak van fourniturenwinkel Excelsior in Menton.

Heb ik spijt? Niet zo erg, ik weet heus wel dat ik niet bepaald de moeder van het jaar ben. Op een avond, toen ik na mijn dansles thuiskwam in ons appartement bij Etoile – wat een somber gedoe was dat, een verzameling halfduistere gangen en ijskoude vertrekken –, zocht ik Patti en vond ik haar bij een kinderjuf die haar in bad deed. 'Het water dampt,' zei ik. 'Jeanne, je laat mijn dochter verbranden.' De juf stak haar kin in de hoogte en zei met samengeknepen lippen: 'Het water is precies goed, mevrouw, en ik heet Noémie.' Patti was helemaal rood en stikte zowat, maar ze zei niets. 'Patti, wil je koud water bij je bad?' Ze schudde haar hoofd, voor een klein meisje had ze merkwaardig geprononceerde trekken. 'Nee mamma, je moet je er niet mee bemoeien.' Mijn eigen moeder heeft zes kinderen gekregen uit plichtsgevoel en geestelijke luiheid. Het eerste jongetje is in de wieg gestorven, aan een hersenvliesontsteking. Wij, de vier dochters, leefden keurig volgens het systeem van Minnie Machen: om haar persoon te vervolmaken moest elk van ons uitblinken in een eigenschap die zij miste. We waren nauwelijks geboren of de rollen werden al verdeeld. Marjorie was de artistiekeling, Tootsie de intellectueel, Tilde de serene schoonheid en ik, het nakomertje, ik had de rol van levende pop voor wie je jurken naait terwijl je van prinsessen droomt. Voor Anthony jr., de tweede zoon en drager van de familienaam, was geen enkele rol weggelegd. In haar privétheater had Minnie gewoon geen script voor mijn broer geschreven. Hij heeft nog geprobeerd zelf te schrijven, maar geen enkele van zijn korte verhalen of romans is uitgegeven. Zijn enige toekomst was een ingenieursbureau, een burcht van eenzaamheid.

Wat ik weet, is dat Anthony jr., die week in 1933 waarin hij zijn verstand verloor, had gevraagd te worden opgenomen in dezelfde kliniek waar ik verbleef, in Baltimore. Dat werd hem geweigerd. Twee dagen later sprong hij uit een raam van de zesde verdieping van een naargeestig ziekenhuis in Mobile, omdat onze ouders het hadden vertikt voor hun zoon de kliniek van zijn keuze te betalen. In de kranten van Alabama en Georgia stond bij zijn overlijdensbericht dat hij gestorven was aan malaria en dat hij in een 'koortsdelirium' per ongeluk uit het raam was gestapt.

Ik heb geen mening over zelfmoord. Wel heb ik gehouden van verscheidene mannen die zelfmoord gepleegd hebben, te beginnen bij mijn broer, en het verdriet om zijn verlies gaat nooit over.

En dan René, die is nu al vijf jaar dood, twee jaar na Anthony jr. Hebben zij, na deze 'wachtkamer die de aardbol is', nu hun baan in de ruimte gevonden? En wat houdt deze laatste en eeuwige omwenteling in: sterrenstof of een streep van grijze as? Zou het de Melkweg zijn – of een bodemloos zwart gat?

Verscheidene artsen hebben me, uiteraard, over Anthony jr. laten praten, zonder hem een speciale plaats toe te kennen in de rangorde van trauma's. Bij de laatste Thanksgiving-viering nam Minnie de directeur van het Highland in een hoek van de eetzaal apart en – *thanks mom* – gooide alles eruit: hoe mijn grootmoeder in haar bed was gevonden met een zwart gat in haar slaap en naast zich op de beddensprei het nog rokende pistool dat ze van haar man had gepikt – een afscheid dat spoedig werd gevolgd door dat van haar zuster, oudtante Abigail, die had verkozen van grote hoogte naar beneden te springen in een waterval van de James River in Richmond.

Alsof al mijn kwalen en rare afwijkingen nog niet erg genoeg zijn, is het personeel van het Highland, zowel de dagploeg als de nachtbewaking, nu ook nog – op discrete wijze – gespitst op de veronderstelde mogelijkheid van erfelijke zelfmoordneigingen. Ik heb geen enkel verlangen om te sterven, maar dat is iets wat uiterst moeilijk te bewijzen valt met een medische loopbaan als die van mij.

De witte jas, met zijn kleurloze stem: 'Niet suïcidaal, zegt u? Maar u hebt twee flessen pillen geslikt toen de Franse vliegenier was vertrokken. En u bent van een rots gesprongen na een jaloerse scène met uw echtgenoot. Dat zegt toch een heleboel.'

Ik: 'Ik had pillen genomen om te slapen, niet om mezelf om zeep te helpen. En de vliegenier is niet vertrokken, zoals u lijkt te geloven. Ik ben ontvoerd. Moet u daarom lachen? Nou, niet als u erbij geweest was. Scott had twee mannen van de plaatselijke maffia ingehuurd die het huisje binnendrongen – en dat zijn niet bepaald mannen om mee te spotten, hoor. Ik kon niet eens een briefje met uitleg voor Joz achterlaten... En wat die rots betreft waar u het over hebt, ik weet heus wel wat mijn man daarover heeft verteld. Behalve dan dat hij zelf stomdronken was die nacht dat het gebeurde. Ik viel van een muurtje, niet van een rots, en onder dat muurtje was een trap waarover ik naar beneden rolde. Gevolg? Twee geschaafde knieën, net als wanneer ik als klein meisje viel met rolschaatsen. En u hebt het over zelfmoord...

Kleurloze stem: 'Kunnen we het hebben over de dag dat u brand stichtte in La Paix, uw toenmalige woning?'

Ik: 'Maar dat was een ongeluk! Ik wilde oude kleren verbranden in de open haard, en opeens stond alles in vuur en vlam.'

De kleurloze stem verliest zijn geduld: 'Als ik het goed begrijp dan gebeurt altijd alles per ongeluk, niet? Welnu, die open haard werd nooit gebruikt. Het hele huis wist dat, uw man, de bedienden, zelfs uw dochtertje wist het. En u niet?'

Ik: 'Maar ze hadden het me niet verteld. Ik was opgenomen, voor de zoveelste keer, toen mijn gezin dit nieuwe huis betrok. Uw beschuldigingen slaan trouwens nergens op: het vertrek dat ik wilde verwarmen was mijn atelier. Al mijn werk is in het vuur verbrand, een groot aantal schilderijen en al mijn tekeningen. Waarom zou ik het werk van vele jaren willen vernietigen, het enige wat voor mij nog waarde heeft in dit leven?'

Kleurloze stem: 'U ontkent. Ontkenning is typerend voor suïcidale mensen. Maar op een dag komt de werkelijkheid uit, en die werkelijkheid is de dood.'

Wat is toeval? Wat wordt voorgekookt in het duister? Hoe komt het dat ik de vliegenier bij toeval heb ontmoet en hem onder dwang heb moeten verliezen? Kon ik het maar begrijpen... De elektroshocks zijn te sterk, in mijn hoofd is het één grote borrelende pap en mijn tanden doen pijn, ik ga ze vragen het voltage te verlagen.

Maar eerst het neonlicht. *Allereerst moeten ze wat doen aan dat neonlicht.*

. . . .

Ik herinner me dat licht, zo agressief, zo rauw op mijn groenige buik, in het vertrek achter de fourniturenwinkel in Menton. Ik werd in die tijd opgesloten gehouden in de villa Paquita, onder bewaking van de tuinman-bodyguard en de kokkin met de priemende ogen Die heeft, in ruil voor een flinke stapel bankbiljetten, de engeltjesmaakster opgespoord. Een tweede bundel moest ervoor zorgen dat de tuinman zijn mond hield. (Hij stopte het geld in zijn zak met een minachtende grijns. Tijdens de hele tocht floot hij vrolijke wijsjes van eigen makelij. Hij beleefde plezier aan de bochten van de kustweg alsof hij in een draaimolen zat. Ik zei dat ik misselijk was en toen ging hij nog harder rijden, remde en versnelde zonder reden, zodat de auto hotste en botste. Hij genoot van zijn overwinning. Misschien was nog nooit eerder een vrouw zo aan hem overgeleverd geweest als ik op dat moment. Ik begreep dat ik verloren was. Hierna zou ik voor altijd waardeloos zijn.)

In de emaillen kom die de aborteuse vlak onder mijn ogen weghaalde, zag ik het zachte, roze vlees dat gevangen zat in de verlostang. Mijn zoon. De zoon van de vliegenier. Het kind van de zon en de zee. Ik voelde een stem uit mijn buik komen, mijn kaken gingen als in een kramp vaneen... mijn ogen draaiden weg in het donker. Ik heb mijn kreet niet gehoord. 'U bent aardig tekeer gegaan,' zei de kokkin later verwijtend. 'Niet normaal zeg, wat een aanstellerij! Nog een geluk dat de buren de politie niet gebeld hebben. Denkt u ooit weleens aan de andere mensen?' Twee vrouwen hebben me injecties gegeven, dubbel zo veel morfine als normaal. Daarna heb ik vier dagen lang geen daglicht gezien. Ik lag in het donker, de luiken en de gordijnen waren gesloten, en de kokkin annex verpleegster gaf me morfine-injecties, mijn armen waren overdekt met bloeduitstortingen en pijnlijke ontstekingen.

Wat zegt u me daarvan, meneertje? Je laten aborteren, is dat niet een beetje zelfmoord plegen? Ja, ik had echt het gevoel dat ik mezelf die dag had omgebracht.

5

De puriteinse nacht
(1940-1943)

'Wij spreken van Nacht wanneer alle dingen
hun smaak verloren hebben.'

SAINT JEAN DE LA CROIX

Bezoek

Tallulah is in de stad. Ze komt vergiffenis vragen aan de Bankhead-clan die de aankondiging van haar scheiding niet bepaald kon waarderen. Minnie houdt dat voor me verborgen, mijn zussen ook. Wat denken ze wel? Dat ik de krant niet meer kan lezen? Ik heb alles in de filmbladen gevolgd. Het wonderkind heeft in maar weinig films gespeeld, geen enkele bijzondere in ieder geval, en ik heb haar nooit in het theater gezien. Ja, wij woonden in Manhattan in de tijd dat zij op Broadway optrad, maar nee, ik ben haar nooit gaan toejuichen: het kwam er niet van, misschien waren er geen plaatsen meer, misschien wilde ik niet graag genoeg. Het lijkt erop dat ik gewoon geen zin had.

Ik was jaloers, zou de Zwitserse gekkendokter gezegd hebben, dokter Chaumont geloof ik, of Beaumont, of Tartempion, een van die vele onderling inwisselbare gezichten die elkaar in mijn herinnering zozeer overlappen dat de een de ander uitwist.

'Misschien interesseerde het stuk u niet?' had dokter Kieffer voorzichtig geprobeerd. Zij was de enige in wie ik gedurende tien jaar van opnames vertrouwen had gehad. In haar, Martha, met die zachte, kalmerende stem, en nu ook in deze man, de leuke internist met de donkerblauwe ogen, een tweelingbroer van Irby Jones.

In het tuintje van de bungalow, dat ter ere van haar bezoek is opgeruimd en aangeharkt, zit miss Bankhead te wiebelen in haar rotanstoel, waarvan het geknerp mij op de zenuwen werkt. Ik was vergeten dat ze zo'n rauwe stem had, wat ik nog leuk vond toen we jonge meisjes waren. Ze rookt honderd sigaretten per dag, vertelde ze me, niet weinig trots op dit heldenfeit. Ze wil gin, bij gebrek aan bourbon. Ze vloekt als een ketter. Het lijkt me dat ze in de publiciteit bij lange na niet realistisch wordt weergeven; veel te terughoudend, die roddelbladen. De enormiteit van dit onderwerp gaat hun te boven. Wat moet je beginnen met een vrouw die prat gaat op haar bandeloze gedrag en haar liederlijkheid van de daken schreeuwt? Hoe ver kun je gaan wanneer de zondares de geliefde dochter is van de voorzitter van het Huis van Afgevaardigden, zo'n beetje de op twee na belangrijkste man van de staat?

'Ach, film, *dáhling*, je weet niet half hoe saai dat is. Hollywood? Een vreselijke vergissing. Ik sta duizend keer liever op het toneel,' zei ze. En ik dacht: *Je hebt groot gelijk Talullah, want de camera houdt niet van je. Maakt je eerder lelijk dan mooi. Een nep Garbo, een waardeloze Dietrich.*

'Ze vangt geen licht,' zei Scott zogenaamd deskundig, op misprijzende toon, alsof ik er wat aan kon doen, alsof het hem persoonlijk aanging. Sinds hij voor Hollywood was gaan schrijven deed hij mee aan de stompzinnigheid en de clichés die in dat dorp nog meer gecultiveerd worden dan de dollars en de gewelddadige sterfgevallen. Moeder heeft me verslag gedaan van de praatjes die rondgaan in de gegoede huizen van Montgomery: de actrice zou de ergste vernedering in haar carrière hebben beleefd toen ze vernam dat ze, na van NYC naar LA gereisd te zijn voor proefopnamen, niet was uitgekozen voor de rol van Scarlett in de bewerking van *Gejaagd door de wind*, het best verkochte boek in Amerika ooit. 'Die rol was voor mij!' zou ze tegen de producent geroepen hebben, alvorens hem uit te maken voor klootzak (of rotflikker, al naargelang de verhalen en het geslacht van degenen die ze vertelden). 'Dat meisje uit het zuiden, dat was ik! Niet die aanstellerige Engelse trut met dat kinderstemmetje en haar varkensneusje – net zo sexy als een lantarenpaal.' En toen, zo luidt het verhaal van de brave burgers uit Alabama verder, zou de beledigde producent hebben teruggeslagen door te zeggen dat ze te oud was en dat geen enkele cameraman haar weer jong kon maken, zelfs niet met dikke lagen make-up en veel filters en gedempt licht.

Ik had nooit begrepen hoeveel we eigenlijk op elkaar leken, zij en ik. Niet alleen wat onze moeilijke karakters betreft – vroeger onhandelbaar, tegenwoordig aardig oppassend. Onze gezichten met de duidelijke botstructuur, jongensgezichten. Omdat ze er zelf geen geheim van maakte, wist iedereen dat miss Bankhead net zo goed met vrouwen als met mannen naar bed ging. In de ongeruste ogen van Minnie zie ik in retrospectief het spook van de roddels opduiken: stel dat die brave zielen van Montgomery het verhaal gaan rondstrooien dat we lesbiennes waren, zij en ik? *Wat dacht u wel dat ze op hun vijftiende uitspookten met zijn tweeën, zoals ze altijd samen optrokken, in short en overhemd net als jongens, altijd aan het rondzwerven door bossen, langs meren, in verlaten schu-*

ren? Nou, die kregen heus wel genoeg lichaamsbeweging hoor!

Het doorschijnende lijfje van haar zwarte jurk is dichtgeknoopt met een hele rij kleine geslepen steentjes, gitten waarschijnlijk, die langs haar hals stromen als een rivier van zwarte diamanten. (Minnie, vanochtend: 'Dat kan je toch niet menen, kind, je gaat je vriendin toch niet ontvangen met die verstelde kousen, die klompen van wandelschoenen en die vormeloze zak die jij een rok noemt! Laat dan in ieder geval de kapper komen.') Ik kijk naar mijn magere dijen in de te wijde rok met Schotse ruiten. Mijn droge handen, rood van terpentijn en oplosmiddelen, mijn nagels die tot op het bot zijn afgebeten. Twee handen die popelen om iets te doen maar die ik braaf op mijn knieën houd. Mijn vreselijke kousen, mijn veterschoenen als van een oud wijf. Het kan me geen lor schelen. Je moest eens weten hoe weinig.

Ik werk nu aan Fifth Avenue *geen tijd om thee te drinken geen afspraken buiten de deur op* Fifth Avenue *maak ik rode bomen en vlaggetjes op de auto's Independence Day misschien ook maak ik een helemaal witte triomfboog of zo iets ongerijmds, misplaatst jij bent er niet Wie is die glinsterende vrouw die me verblindt ik zou haar ook kunnen schilderen maar hoe haar rauwe stem uit te beelden honderd sigaretten per dag en twee liter gin Dáhling alsof het water is je kunt geen stemmen geen stank geen geuren schilderen Laat me alleen Ik doe de deur wel achter je dicht.*

Maar de grote ster zakt steeds dieper weg in haar krakende stoel en stampt met haar hak op de grond.

'*Outlandish!*' schreven de kranten over haar, zelfs de meest serieuze, '*outspoken! outrageous!*' Tallulah barst uit in een krakerige lach: 'Ik ben *out* zonder meer! Alleen die nieuwkomer, Hitchcock, volgens mijn agent denkt die nog wel aan me, voor een zoveelste stupide film. Zal ik je eens wat vertellen? Ik heb de filmcamera eigenlijk altijd als een vijandig wezen beschouwd. Iets agressiefs waardoor je eerst wordt uitgekleed en dan vermorzeld. Een zwart oog, net als de donker gemaakte spiegels van de politie.'

Ze snoof de avondlucht op, haar trillende neusvleugels zochten een geur die er niet was, ongetwijfeld de geur van onze jeugd, die onze versleten lichamen niet meer konden ontwaren. Een vliegje zat vastgekleefd in haar ene mondhoek. Ze voelde het niet – door de lippenstift, dacht ik, zo dik en plakkerig, zo agressief. Hoe kun je je gezicht zo onder de verf smeren, je ogen, je lippen, je wangen? Uit haar sandalen met hakken staken twee grote paars gelakte tenen, net de nagels van die aap in de dierentuin van Oaks Park, die zijn zwarte, van ellende gerimpelde hand tussen de tralies van zijn kooi door uitsteekt naar de onverschillige voorbijgangers. Niemand pakt die hand aan. Ik ga vaak naar de aap toe. We hebben contact, hij en ik. Ik praat en hij luistert, zijn grote ronde ogen wijd opengesperd, vol aandacht. Soms streelt hij mijn wang met de rug van zijn hand.

'Drink jij niets?' vroeg ze, terwijl ze het laatste bodempje uit de fles gin in haar glas goot. Er gebeurde iets raars als ze zichzelf inschonk: haar geschilderde lippen trokken naar beneden, in een soort grijns van afkeer. Af-

keer waarvan? Van drinken? Van de schade die ze zichzelf daarmee berokkende? Of was het eerder verveling?
Door ons saaie gesprek? Of misschien verveelde ze zich
gewoon in Montgomery. Had ze het in deze wereld nergens naar haar zin als er geen theater in de buurt was.

'Beter van niet. Ik houd het maar bij mineraalwater.
Wil je dat ik bij Minnie een nieuwe fles ga halen?'

In mijn nek voelde ik de blik van moeder die ons vanaf de bovenverdieping van haar huis in de gaten hield.

'Je drinkt niet meer, je gaat niet meer uit, je hebt geen
minnaar...'

– Ik ben nog steeds getrouwd.

– Hou op zeg, de hele wereld bescheurt zich om je.
Word toch eens wakker.

– Scott zorgt voor me. Hij werkt hard om ons gezin te
onderhouden.

– En voor die geblondeerde del van hem. Ik kwam ze
laatst tegen, samen in een auto, op Mulholland Drive.
Hij ziet er vreselijk pafferig en verlopen uit, ik zou hem
niet herkend hebben. Mijn agent, Peterson, wees hem
aan: 'Kijk, daar gaat de knapste mislukkeling van alle
mislukkelingen in Hollywood.' Al zijn scenario's ver-
dwijnen in de prullenbak. Het duurt niet lang meer of
hij is volkomen blut. Die platina trut zat achter het stuur,
trouwens.

– Ik heb goede hoop dat ik mijn schilderijen kan verkopen. Er is een kunsthandelaar in Alabama die interes-
se heeft. En ook een galerie in New York... misschien.
Misschien lukt het me uit deze situatie te komen. Wie
weet. Lukt het *ons*.

– Mijn tante Marie heeft dus gelijk? Je probeert een heilige te worden?

We gierden van het lachen, zonder gêne, met enorme, verpletterende uithalen. Onze rotanstoelen zakten zowat door van het gekraak. Het was net als vroeger, nog niet eens zo lang geleden, toen we de twee minst brave meisjes uit de streek waren, de minst vrome ook. Dat lachen van ons samen, voor een laatste keer samen, als de elfde en de twaalfde plaag van Egypte.

'Zal ik je een geheim verklappen? Sinds ik het over God heb, vinden ze me veel minder gestoord. "Op de goede weg," zeggen ze geruststellend tegen moeder. Nu ik de naam van God op mijn ellende heb geplakt, nou zeg, het lijkt wel een wonder: nog nooit hebben ze mijn genezing zo nabij gevoeld.' Tallulah bekeek me met verbazing, een beetje geringschattend ook: 'Maar daar was ik allang achter! Ga maar eens op zondag naar de kerk, als je een beetje achterin gaat zitten zie je al die gebogen hoofden in hetzelfde ritme op en neer deinen... En dan haal je het woord God bij ze weg en ze zijn allemaal rijp voor het gekkenhuis. Bussen vol, rechtstreeks naar het gesticht. Godsdienst is een kwestie van volksgezondheid. Daar mag niet mee gespot worden.'

Voordat ze wegging zag ze onder het voorwendsel zich even te willen opknappen kans de bungalow binnen te gaan. Ze bekeek het doek dat op de ezel stond te wachten, zo lang dat ik me er bijna onprettig onder voelde – ik had nog maar drie of vier lagen rood en bruin aangebracht, niets dat de moeite waard was zo lang bestudeerd te worden.

'Stom van me,' zei ze. 'Ik had meer moeten aandringen.'

– Waarop?

– Dat je met mijn neef zou trouwen. Die hield echt van je. En jij zou uiteindelijk ook van hem zijn gaan houden. Ik meen het serieus hoor! Hij is intelligent, en verstandig. Echt een prettig persoon. Als hij de weg volgt die mijn vader hem heeft gewezen en geen enkele etappe overslaat, dan zit hij op een goede dag in het Witte Huis. Zie je het voor je? First Lady van het land...! Je zou het heel goed gedaan hebben.

– Ik ben de vrouw van de grootste schrijver van het land.

Ze smeet een bloedrode sigarettenpeuk op het grind van de oprit: 'Dat was je ooit, lieve schat. En hij was dat even, een jaar of twee. Zijn naam staat tegenwoordig zelfs niet meer bij de aftiteling. Wist je dat niet? O, sorry *dáhling*... wat ben ik toch ook een stomkop.' Met de punt van haar sandaal vermorzelde ze de peuk, een grote paarse teen stak naar buiten. Ik dacht dat ik hem hoorde sissen. Geur van verbrand eelt. *Búhning*!

*

Toen ik hem ervan beschuldigde met Lewis naar bed te gaan, draaide Scott het verwijt meteen om en riep dat ik altijd een lesbienne was geweest. Hij had daarvoor geen enkel bewijs en gelukkig voor hem was er niemand dat verlangde. Op een dag zei hij tegen Lewis dat ik met Ljoebov Jegorova vrijde. Met de intuïtie die hem als verkapte

homoseksueel eigen was ontwaarde Lewis in Scotts aan-
klacht een deel van de waarheid: ik was inderdaad verliefd op Ljoebov, die ik in het geheim Love noemde.
Maar ik heb nooit naar seksueel contact verlangd, nooit.
Ik wilde alleen maar bij haar zijn, in het kielzog van haar
bewegingen, in de stralen van haar licht.

Ik vermoed dat Tallulah waar het seks betreft niet ex-
tremer in haar gedrag is dan ik en dat ze de mensen
maar laat kletsen: zolang zij, op papier, naar bed gaat
met alles wat beweegt, staat ze in het volle leven en blijft
ze een geliefd onderwerp voor de fotografen. Maar daar
houdt onze overeenkomst op: ik ben geen actrice, en ik
heb een dochter die ik moet beschermen.

Vanmorgen werd ik met een stralend humeur wakker, Minnie vroeg of ik een schilderij verkocht had of zo,
en ik zei: 'Nee moeder, maar ik ga mezelf in het vervolg
beter verdedigen.' Ik heb Maxwell gebeld en hem ver-
zocht contact op te nemen met Lewis' advocaten: de volgende keer dat hij me belastert, ook al is het niet in het
openbaar, val ik hem aan via de rechtbank. Hij kan in de
verste verte niet vermoeden dat een arme zottin uit Alabama, dochter van een rechter en kleindochter van een
senator en een gouverneur, genoeg middelen kan verza-
melen voor haar verdediging. En mensen die getuigen
van haar fatsoen. De grote oplichter zou zelf weleens te
kijk kunnen worden gezet! De advocaten hebben zich
niet vergist: de heer Lewis O'Connor heeft van zijn uitgever te verstaan gekregen dat hij mijn naam niet meer
mag noemen. 'Ook niet meer opschrijven?' – Schrijven
al helemaal niet, beste mevrouw.

Bij Tallulah op bezoek geweest in haar familiepaleis.

Via een telegram heeft ze te horen gekregen dat ze in een belangrijke film mag spelen van die Engelse regisseur die net in Los Angeles is gearriveerd, Alfred Hitchcock: 'Ik begrijp niets van dat dikkerdje, maar hij wordt als een genie beschouwd. Echt een apart type hoor. Hij werkt het liefst met homoseksuele acteurs, hij vindt dat ze iets interessants in hun blik hebben, een soort tweeslachtige uitdrukking, en dat past goed bij zijn opvattingen over film. Ik heb hem in mijn Londense tijd weleens ontmoet, hij werkte toen alleen maar met de zanger Ivor Novello, dat was zijn favoriete acteur – een gestoorde nicht van de bovenste plank. Ivor had een liedje dat op de radio werd gespeeld: *We'll gather lilacs*. Heel Engeland kende het. Het was eigenlijk heel decadent, en door en door Engels. Wat een stelletje perverse lieden waren we.'

Mijn moeder Minnie heeft nooit van de Bankheads gehouden. Tallulah was dus een dankbaar doelwit: 'Je hoeft je echt geen zorgen te maken over die slet hoor. Ze kan zich nog zo onfatsoenlijk gedragen, vloeken als een ketter en stomdronken in de goot belanden, in de ogen van het publiek is en blijft ze een Bankhead. Helemaal afgezakt is ze trouwens ook weer niet: ze geeft ieder jaar geld aan goede doelen, en als ik haar tante moet geloven, beheert ze haar vermogen als een verstandige zakenvrouw.'

Er wordt gefluisterd dat toen ze net op Broadway begon, de oppermachtige Bankhead bij de producent van het stuk een briefje had laten bezorgen. Vanwege haar afkomst wordt alles haar vergeven, worden niet alleen haar seksuele escapades door de vingers gezien, maar ook haar drankmisbruik en haar brutale mond – o ja! de gevatte kwinkslagen van miss Bankhead geven fleur aan de mondaine diners. Tallulah heeft een ondeugende geest, en dat vinden mensen mooi. Ze is in staat om aan een tafel vol mensen de meest gevreesde roddeljournalisten van Hollywood voor gek te zetten. Scott had me eens verteld over een feestje bij Joan Crawford thuis, waar een valse journalist aan Tallulah had gevraagd: 'Miss Bankhead, ze zeggen dat de nieuwe ster van het moment, Cary Grant, een peniszuiger is. Klopt dat?' Zij blaast hem de rook van haar sigaret vol in het gezicht en zegt: 'Ik zou het eerlijk niet weten. Bij mij heeft hij het nooit gedaan.'

Waarop die strontpikker van een journalist vervolgens schreef dat zij eerst de echtgenoot, Douglas Fairbanks jr. had verleid en nu met de echtgenote, miss Crawford, het bed deelde.

Ik ben niet zo naïef dat ik niet weet dat het gemakkelijker is schandalen te veroorzaken als je sociale positie daarbij geen gevaar loopt. Wat ik over Tallulah zeg, geldt net zo goed voor mij. Behalve dat ik zelf zowel mijn sociale positie als mijn plezier in schandaaltjes heb verloren.

Tal denkt met weemoed terug aan haar roemrijke tijd in de Londense theaters: horden meisjes met alledaagse baantjes stonden haar op te wachten in donkere, vaak regenachtige stegen. 'Ongelofelijk, ze probeerden er net zo uit te zien als ik, knipten hun haar net als ik, recht van onderen, met een scheiding opzij. Ze stonden daar te wachten bij de achteruitgang van de theaters, en ze zongen heel hard in koor: "Tallulah Halleluja". Weet je, de eerste keer krijg je daar kippenvel van. Daarna ga je het gewoon vinden.'

Ja, miss Bankhead, daar weet ik alles van, ik heb het zelf ook meegemaakt. Maar ik was maar een figurant, een soort aanhangsel ter versiering, ik stond in de schaduw van het grote genie.

*

Ik naai mijn eigen jurken (dat wil zeggen: lange zakken in de vorm van een kruis), en om de kosten van de kapper uit te sparen krul en kleur ik mijn haar zelf (mijn moeder beziet me met een treurige trots, zijzelf vlecht iedere ochtend en avond haar prachtige lange witte haren, als een koningin van honderd jaar oud). Ik ga markten en theemiddagen af, laat me ook zien bij die enge Women's Club, en overal probeer ik spullen te verkopen die ik heb beschilderd: serviesgoed en sierdingen zoals kommen, vazen, onderzetters, en ook dienbladen met irissen, pioenrozen en klimmende windes, ook al heb ik geen idee wat ze er allemaal mee aanmoeten, die theetantes.

En ik vraag me af: zodra ik ze de rug toekeer, in mijn vormeloze jurk met mijn mislukte permanent en mijn lompe stapschoenen, zouden ze dan niet een beetje met elkaar smiespelen en fluisteren: 'De stakkerd!' en de draak met me steken: 'Nog even en ze zwerft rond in een straat met haar eigen naam!' En zouden ze dan daarna, in de wetenschap dat ze met hun liefdadigheid vergiffenis voor hun christelijke ziel hebben gekocht voor alle zonden die ze nog zullen begaan, niet uitbarsten in een gemeenschappelijk, wraakzuchtig gelach? Dezelfde vrouwen die ik dertig jaar eerder de loef afstak, die toen niet durfden dromen dat ze ooit op mij zouden kunnen lijken: zou het ze niet een klein beetje plezier doen mij in deze staat van aftakeling te zien?

Zoals Scott me schreef, de zomer voor zijn dood: 'De combinatie van ziek zijn en geen cent te makken hebben is een ramp.'

*

15 september: William Brockman Bankhead is overleden aan een hartstilstand: zijn arme hart heeft heel wat te lijden gehad sinds de dood van zijn vrouw, die was gestorven bij de geboorte van Tallulah. Ik heb me vaak afgevraagd hoe dat voelt, het idee dat je door geboren te worden je moeder doodt.

Arme Tal, nauwelijks was ze teruggekeerd naar Manhattan, nog geen tijd om haar koffers uit te pakken, of ze moest weer vertrekken om het lichaam van haar vader in Washington op te halen en hierheen te brengen. Haar vader was alles voor haar, ook al zou ze het niet graag toegeven: dat zou afbreuk doen aan haar reputatie van stoere meid.

21 december 1940

'No God today.
No sun either.
My Goofo died.'

22 en 23 december

Het idool is dood. 'Uw echtgenoot, mevrouw, ja. Het leek ons beter dat u het van ons hoorde en niet via de radio of de kranten. Wij van de Studio bieden u onze oprechte deelneming aan.'

Ik voel geen verdriet, er zijn te veel dingen die ik hem kwalijk neem.

En de dokters... hun kleurloze, gedecideerde stemmen stijgen op uit hun witte lijkwaden: 'Ze is apathisch, zoals u ziet. Ze heeft de knop omgedraaid, ze reageert niet meer. Een catatonie in combinatie met wat we al vreesden sinds die welwillende uitgever haar manuscripten heeft geweigerd: een terugval naar een staat van apathie en psychasthenie, uit zelfbescherming.'

In mijn hart is geen plaats voor tranen: ik koester wrok jegens hem en ik vervloek het lot waartoe hij me veroordeelt: nu moet ik langer leven dan hij. Ik heb in zijn schaduw geleefd en nu ben ik gedoemd in eenzaamheid af te takelen en totaal vergeten in een of andere uithoek te sterven. Weg te rotten. Walgelijk! Het doel is bereikt – mijn knappe echtgenoot sterft helemaal niet: hij neemt wraak, en triomfeert. Zoals altijd.

Ze zeggen dat mijn waanzin ons uit elkaar heeft gedreven. Ik weet dat het precies andersom is: onze waanzin verbond ons. Het waren juist de momenten van helderheid die ons scheidden.

Ze moeten vooral niet op mij rekenen bij alles wat nog gaat komen. Ik ga echt niet de vrouw van de overleden Beroemdheid spelen.

*

Hoewel... Niemand weet hoeveel we in het begin van elkaar hielden en hoe we het al die jaren met elkaar hebben uitgehouden. Ik had eerst maling aan hem, hij later aan mij.

Scott is erin geslaagd zich los te maken van het beeld van zijn vader – hij heeft zo'n succes gehad – en tegelijkertijd is hij echt de zoon van zijn vader: net zo mislukt!

Voor dat alles heeft hij een hoge prijs betaald. Ach! Lieve man van me, zeg dat ik het verzin, dat het weer een hallucinatie van me is. Zeg dat je niet dood bent maar dat je gauw weer terugkomt, straks, in een gloednieuwe open sportauto, dat je door de straten van deze rotbuurt komt aanrijden en voor de deur zo hard toetert dat ik het hoor, dat de hele wereld het hoort, maar niet zo hard, slimmerd, dat mijn moeder zich aan de herrie ergert. Dan kom ik de bungalow uit en zie ik daar die glimmende sportwagen, ik klap in mijn handen en jij rent op me toe. Minnie zal verstijfd staan tussen haar gordijnen, nu is zij eens een keer opgesloten, geen pretje, echt niet.

Scott... Goofo... lieve Scott... blijf bij me. Waarom ga je weg...? Je had toch beloofd dat we bij elkaar zouden blijven? Wij samen, de twee mooiste paradijsvogels in de hemel! Ik ga het natrekken, ik zal de politie in Hollywood bellen... Goofo! Lieve Scott, ik ben het, Baby!

Goof... als je doodgaat, als je echt dood bent, dan ga ik ook dood.

Ik moet Patti zeggen dat ze terugkomt uit New York – het is al zo laat – als ze maar op tijd is voor de plechtigheid... de uitvaartplechtigheid bedoel ik... jouw vertrek, Goofo, je vertrek voor altijd. Ach, kon ik maar met je meegaan, samen weg, lieve Scott, mijn levende droom, mijn mooie, onverzettelijke man. Je hebt niets weg van de dood. Je lijkt totaal niet op het blauwige lijk dat ze me laten zien.

Jij bent mijn Prince Charming. Voor altijd.

Daar moet ik aan blijven denken.

Op de boot uit Genua had een fotograaf ons samen gekiekt, weet je nog? Tussen ons in stond Patti, kaarsrecht, met een ernstig gezichtje, ze hield een kinderkoffertje vast alsof ze even langs kwam, bij ons op visite was. Weet je nog, Goof? Weet je het nog, jij van wie ik zo veel heb gehouden dat ik er gek van werd? Wie zal zich ons voortaan nog herinneren? Wie? Alsof er van ons leven niets mocht overblijven. Bittere as en stof van goud – door de wind over de vlakten verspreid. De romantische minnaars bestaan niet meer.

Op die foto draag ik de lange jas van eekhoornbont die je voor me had gekocht bij een bontwinkel op Fifth Avenue, het enige kledingstuk waar ik mijn leven lang dol op ben geweest, en toen hij op het laatst door de motten was aangevreten, moest je me smeken hem weg te doen. In tegenstelling tot wat altijd gezegd en geschreven werd, kon de mode me gestolen worden, ik verveelde me dood bij die eindeloze diners met mensen uit de modewereld, in Manhattan of in Parijs. Hun ingewikkelde kleren zaten altijd te strak. Met weemoed denk ik terug aan de shorts uit mijn kindertijd, de katoenen hemdjes en de snelle sandalen.

En als ik nu eens het verkeerde leven heb geleid? Stel dat mijn idiote trots mijn ondergang is geworden?

Die vraag spookt sinds twee dagen door mijn hoofd, als een kwelling.

Geef terug

Ik had amper tijd om de dood van Scott te bevatten of een ander ongeluk klopte op mijn deur.

Auntie is de afgelopen nacht in haar slaap overleden. Haar kleinzoon is het ons komen vertellen, hij heeft zes of zeven mijl gehold om ons als eersten op de hoogte te stellen. Moeder verdwijnt meteen en komt terug met een envelop voor de begrafenis. Wat een kil gebaar, ze heeft niet eens iets gevraagd, niet de tijd genomen de jongen een kus te geven of hem haar medeleven te betuigen; ik schaam me voor haar, zoals ze direct naar haar geldkist rende. Geld. Kan geld goedmaken dat ze de kleinzoon niet binnen heeft gevraagd maar hem buiten liet staan, aan de andere kant van de hordeur, alsof er altijd een hek moest zijn, ook al was het dun en symbolisch, tussen hen en ons in?

Auntie is dood, en ik had er juist op gerekend in haar armen te kunnen sterven, net als vroeger gewiegd in haar geur van tuberozen, van kaneel en kruidkoek. Ze rook altijd een beetje naar de keuken. De keuken van zondag, met de lucht van gebakken gerechten, van gekarameliseerde maïs en zoete aardappelen. Haar huid was suikerig. Onder het verse stijfsel van de kleren die ze had gestreken bevond zich een magische bescherming, die me onschendbaar maakte.

In die armen had ik altijd gehoopt mijn ogen voorgoed te kunnen sluiten. Maar Auntie is me voor geweest en dat ligt ook gruwelijk voor de hand, gezien onze leeftijden.

Haar kleinzoon gaf ik een glas water en mijn fiets. Dan hoeft hij niet meer alles te lopen, met tranen op zijn gezicht en bloed aan zijn voeten: hij heeft nog heel wat mijlen te gaan, heel wat buurten te doorkruisen als hij alle familieleden en de vele vrienden van Auntie op de hoogte wil stellen. Zo veel mensen die van Auntie hielden.

Had ik maar een auto, dan had ik hem kunnen helpen, die knul. Maar mijn man was blut en mijn man wilde niet dat ik reed.

*

Ik ben in mijn leven heel wat woorden kwijtgeraakt, ze zijn door de afstomping verdwenen.

Het verloren woord dat ik meest mis, al vijftien jaar lang, dat woord is 's nachts in een droom bij me teruggekomen: *genieten*.

Vroeger vond ik het heerlijk om een bad te nemen, een zalig bad vol geurend schuim, maar op last van die witte beulen werd ik ondergedompeld in baden die gevuld waren met ijs, en ze hielden me onder met hun zware poten op mijn schouders en mijn enkels, net zo lang tot ik flauwviel van de pijn. Tegenwoordig hoef ik maar een badkuip te zien of mijn bloed bevriest.

Wie zou zoiets kunnen vergeven?

*

Nu Goofo er niet meer is, moet ik nog meer op mijn uitgaven letten. Schilderdoek en spieramen zijn duur. Mijn Bijbelse allegorieën lopen niet zo goed als ik had gehoopt. Ik heb er met moeite drie verkocht, en dan nog aan vrienden, aan Lillian, en de Murphy's... De eeuwige getrouwen.

Ik ga poppen van papier maken, zoals ik voor Patti deed toen ze een jaar of vijf, zes was. Het kost uren en uren werk, maar dat is dan maar zo. Iedere pop heeft een eigen garderobe. Voor Scott had ik een engelenpak gemaakt met twee grote witte vleugels die vastgehaakt zaten in de rug van zijn jasje. Ik denk dat dat voor altijd mijn lievelingspop zal blijven. De papieren poppen zullen vast goed verkopen, als verse broodjes.

Tallulah kwam over voor Kerstmis. We hebben heel wat afgelachen. Ik zei dat ik voor haar ook een pop zou maken en toen gierde ze: 'Ja, doe dat, *dähling*, en maak dan een nonnenkleed voor me en ook een motorrijderpak.' We hebben herinneringen opgehaald, over de nacht dat Red had gezegd dat ik niet op zijn motorfiets durfde te rijden. Ik wilde het tegendeel bewijzen en had bovendien Tal achterop genomen. Ik denk dat de oudjes van Montgomery het er nog over hebben: twee meisjes met wapperende haren op een knetterende motorfiets, in volle vaart. Twee meiden die gierden van de lach en allerlei beledigingen riepen naar mensen die buiten op hun veranda zaten. Ach heer, hoe... verloren is dat alles. Samen met de woorden van vroeger.

Tal en ik klommen vroeger de trappen van het raadhuis op, tot aan het bordes, en daar, tussen de antieke zuilen, deden we net als apen op de kermis gymnastiek-oefeningen, en alles was goed om te laten zien wat je behoorde te verbergen: ik deed de radslag en Tallulah ging op haar hoofd staan. De mensen wendden hun blik af: het zou verraad zijn aan de aristocratie van onze families naar de intieme delen van deze twee schandelijke telgen te kijken.

Op andere dagen gingen we op de trappen staan en voerden pantomimes op waarbij Tal mij met haar talent volkomen overvleugelde. Aan het eind maakte ze altijd een groteske pirouette waarmee de tragiek van het voorgaande in het belachelijke werd getrokken. Tal was op haar dertiende al een diva.

De streek die we echter het liefst uithaalden was wat wij noemden de grap van de 'zondaars': we verborgen ons in het portiek naast het bordeel – een honderd jaar oud instituut in Montgomery – en wanneer een kerel over de drempel naar buiten stapte met slordig dichtgeknoopte kleren en een rode kop, dan schenen we hem met onze zaklamp recht in zijn gezicht. Dat was pas echt grappig. En wie zou de politie durven roepen om zijn beklag te doen?

Op de middelbare school was ik het populairste meisje. Ik was tot mooiste van de provincie verkozen en op de goede weg naar wat in de ogen van die plattelanders bij ons het allerhoogste was: de titel van Miss Alabama. De jongens lagen aan mijn voeten. Sloten weddenschappen af. Stakkerige dombo's van Alabama.

Maar ik ging dansen in het vliegerskamp, ik wilde in

de stevige, behendige armen van de vliegeniers rond-
zwieren tot ik duizelig werd. De keurig geklede officieren trokken me niet zo. Scott zag er idioot uit in zijn uniform – en ook protserig, als ik eraan terugdenk, dat had
me moeten waarschuwen. Maar de piloten, in dat leer
van ze met die heerlijke sterke geur van tabak en hormo-
nen, die zijn nooit fatterig of opgeprikt: zij zijn precies
waar alle meisjes uit het zuiden of waarvandaan ook van
dromen, denk ik.

Het was 1918, de mannen van Scotts lichting wacht-
ten op het moment dat ze hun plicht moesten gaan vervullen, hijzelf keek uit naar het heldendom en ik benijd-
de ze allemaal, zonder uitzondering. Wat een geluk als
je een man was! En hoe triest als je een vrouw bent en
geen vrouwenziel hebt. Al die mannen die me begeerd
hebben op grond van een misverstand.

Joz praatte met me als van man tot man. Behandelde
me als een man, of laten we zeggen, als zijn gelijke. Joz
hield van me: mijn geroosterde hersens weten dat, en
die zekerheid neem ik met me mee in mijn graf.

*

Bij de begrafenis las Patricia Frances voor uit een brief
die haar vader haar had gestuurd in de zomer van 1933,
toen ik in de kliniek verbleef. Ze was op dat moment nog
geen twaalf jaar oud.

'Dingen waar je altijd voor moet zorgen:
Ervoor zorgen dapper te zijn.

Ervoor zorgen schoon te zijn.

Zorgen doeltreffend te zijn.

Zorgen dat je leert paardrijden.

Dingen waar je je geen zorgen om moet maken:

Geen zorgen om wat de mensen zullen zeggen.

Geen zorgen om poppen.

Geen zorgen om het verleden.

Geen zorgen om de toekomst.

Geen zorgen over groot worden.

Geen zorgen dat je de beste moet zijn.

Geen zorgen dat je succes moet hebben.'

We waren allemaal in tranen toen ze dat met onvaste stem las, de raadgevingen van de man die haar had aanbeden. Ik wilde haar zo graag in mijn armen klemmen, haar tegen mijn hart drukken. Maar het lukt me niet meer.

. . . .

Wat ik voel? Als ik me probeer voor te stellen hoe hij daar ligt te rotten, tussen vier houten planken? Tederheid, dokter. Een vreselijke tederheid. Maar die gekte die wij samen hadden, dat was geen liefde.

. . . .

Ik wil mijn broer terug. Mannen als Anthony jr. kunnen niet leven met het gevoel dat hun bestaan leeg en zinloos is. De mislukkeling heeft zichzelf netjes opgeruimd. Van mijn grote broer die zo mooi en onbereikbaar was, is niets meer over dan het beeld van een opstandig kind met voortdurende grillen en fratsen. Minnie zegt keihard: 'Je broer wist altijd wel iets te verzinnen om de aandacht te trekken. Nou, daar is hij uiteindelijk in geslaagd.'

Ik wil ook René terug, mijn andere broer, de tweelingbroer die het lot mij gaf. Toen hij zich met gas het leven benam heeft René het complete huis opgeblazen, maar ik geloof niet dat het opzet was. Ik zie hem weer liggen, in dat ziekenhuisbed, nadat op de longfoto's de eerste bruine vlekken waren verschenen. 'Nu moet je weggaan,' zei hij, 'je moet maken dat je wegkomt, lief Amerikaans danseresje, dans maar weg op je spitzen. Toe! Niet huilen. Je zult het zien: ooit word je beroemd...' En vervolgens blies hij de hele boel op. Ik geloof niet dat hij behalve zichzelf ook anderen wilde doden. Zo is René niet. We hadden al zeker drie jaar niet meer over Coconut gesproken. Iedereen was verdwenen, dood of weggevlucht. Er was zo veel drank geweest, zo veel benzedrine en opium. En toen zenuwpillen, en elektroshocks. En toen die rottige tuberculose.

Ze waren kinderen met krankzinnige ogen. Maar wel lieve kinderen.

De droomkinderen van de Grote Oorlog van de Beschaving.

Heb medelijden met hen die niet geboren zijn met op hun voorhoofd de ster van het heldendom!

*

En nu is er weer een nieuwe oorlog, waarbij van beschaving niet meer gesproken wordt en die vast en zeker mijn laatste oorlog zal zijn, want ik ben op. Nog even en mijn urenlange wandelingen zullen ingekrompen zijn tot een blokje rond. Net of alles wat in mijn leven van belang was in concentrische cirkels alsmaar kleiner wordt, onverbiddelijk afneemt. Gisteren kwam ik in het park van de dierentuin een jeugdvriendin tegen, één van de velen met wie we vroeger in de Country Club gingen dansen en flirten, en uit haar samengeknepen, bijna boze ogen en de manier waarop ze plotseling terugdeinsde toen ik haar aansprak, bleek dat ze in mij slechts een onbekende zag met het voorkomen van een vogelverschrikker.

De garnizoenen vullen zich met soldaten, en over onze straten en lanen verspreidt zich een nieuwe generatie, in wier armen ik niet meer zal dansen. Geen ruiters meer, geen parades te paard: nu zijn het auto's met camouflagenetten, en knetterende motoren, een kakofonie van claxons die de godganse dag mijn oren teistert.

Door deze mobilisatie ben ik mijn laatste bewonderaar kwijtgeraakt, mijn laatste vriend in jaren, een broze jongeman van negentien jaar oud die aan de universiteit van Tuscaloosa een schrijfcursus volgde en die mij, wat nogal vleiend was, bewonderde en op een voetstuk zette: ik, die niets meer voorstel in de maatschappij. Zijn verhalen hadden een hoog moreel gehalte maar ze waren erg weemoedig. De Amerikaanse melancholie kan zich maar niet ontdoen van de aangeboren gewelddadigheid en heimwee naar volkerenmoord. Met volkerenmoord bedoel ik onze veroveringen.

Van de gesprekken met de student leefde ik op. Op een dag meldde hij dat hij aan een roman was begonnen en dat hij in een ernstige morele crisis verkeerde omdat hij, om zijn boek te kunnen schrijven, moest putten uit de levens en privéaangelegenheden van de mensen om hem heen, zijn ouders en zijn vrienden, en hij was bang hen te kwetsen of zich hun woede op de hals te halen. Kon ik hem raad geven? Meteen voelde ik mijn keel dichtknijpen, zenuwkriebels in mijn benen omhoog komen – als een waanzinnig verlangen om te vluchten terwijl ik vastgebonden was. Dus loog ik: 'Ach jongen, ik ben niet zo bekend met dergelijke dilemma's... en ik weet ook niet hoe het is gesteld met de morele kwesties van deze tijd. Maar één ding weet ik wel: het is moeilijk om aan je omgeving uit te leggen dat voor een schrijver alles materiaal vormt, en dat het grootste deel van het schrijversvak bestaat uit interpreteren en transponeren – en zeker niet uit exercities in aardig zijn! Als ik jou was zou ik doorgaan met schrijven en je dierbaren pas van uitleg voorzien als je boek in de winkel ligt.' Daar hield ik het bij. Hij moest puur blijven, een beetje verontrust misschien maar gaaf, ik wilde een nog erg jonge man niet zijn laatste illusies ontnemen. *De kans is hoe dan ook heel groot dat je ooit je excuses zult moeten aanbieden. Er komt een dag, onvermijdelijk, dat je je moet verontschuldigen voor je schrijven. Schrijven is niet correct.*

*

Patti is *ook* met een luitenant getrouwd, een luitenant die *ook* van Princeton komt, maar daar stopt de herhaling: mijn dochter is oppassend, verstandig en evenwichtig, en haar verloofde is een serieuze jongen op wie ze kan bouwen. Ik voelde me niet sterk genoeg om voor de plechtigheid naar New York te gaan. Ik was bang dat ik weer net zo opgewonden zou zijn als drieëntwintig jaar geleden, bang dat ik, als ik mijn dochters hand moest wegschenken, me door die opwinding raar zou gedragen en commotie zou veroorzaken. Ik heb in haar leven genoeg momenten vergald, op deze belangrijke dag mocht er niets misgaan. Wel schattig van ze, de echtelieden hebben me een replica van de huwelijkstaart gestuurd. Het toeval wilde dat toen ik het hoog opgemaakte gebak had ontvangen, 's avonds Don Passos bij me langskwam, op weg naar Mobile voor een reportage over militaire gebouwen. Dat heb ik altijd een prettig persoon gevonden, iemand die open en menselijk is, die met gevoel voor realiteit naar de wereld kijkt en zich niet laat verleiden door de verlokkingen van de roem. Met mannen als hij heb ik geen enkel probleem. Hij zou mijn beste vriend kunnen zijn. Met zijn tweeën hebben we de taart soldaat gemaakt.

De manier waarop hij over Scott sprak, vlak voordat hij vertrok, heeft me diep geraakt. We stonden op de veranda. Ik omhelsde hem en wenste hem goede reis, hij bloosde, het was voor het eerst dat we elkaar niet de hand schudden, en hij zei: 'Ach, Zelda! Als deze oorlog nu eens...' en ik zei: 'Ja, John, als...' Het was net alsof Goofo bij ons op de veranda stond en geamuseerd de verwarring van zijn vakbroeder gadesloeg. Alsof hij me hielp de hordeur dicht te trekken en toen zelf de buitendeur sloot, op slot deed. Goofo was bij me, ik ben ingeslapen zonder angst.

*

Een rare kerel, een of andere kunsthistoricus, heeft me voor een lunch uitgenodigd om me te spreken over een plan dat nog raarder is: aangezien de voorbereidingen voor de oorlog eindeloos duren, heeft hij een lijst gemaakt van alle gemobiliseerde kunstschilders die zich verspreid over de soldatenkampen van Alabama bevonden, en toen heeft hij van de legerleiding gedaan gekregen dat ze allemaal samengebracht werden in het garnizoen van Montgomery en daar een hangar kregen toegewezen waar ze met zijn allen konden werken. En die man, Ernest Donn, vertelt me dat de kunstenaars daar nu met de armen over elkaar zitten, omdat er geen geld is om materiaal voor ze aan te schaffen. Nou, ik weet wat die spullen kosten, en mijn hart breekt bij het idee dat die jongens niets om handen hebben en hun talent ongebruikt blijft.

'Maar ik heb geen geld meer, meneer. Geen dollar, zelfs geen cent.'

– U, mevrouw?

Hij leek stomverbaasd. Ik trok hem aan zijn arm mee naar de bungalow in Sayre Street. Deed de garage open en zei: 'Neem maar wat u nodig hebt. Er staan twintig doeken, daar, die mag u hebben, voor uw jonge kunstenaars. Ik heb maar één eis: die doeken mogen nooit vertoond of weggegeven worden. De soldaten die een doek krijgen, moeten het overschilderen met hun eigen werk, of, als dat ze niet vervelend vinden, eerst mijn verf eraf krabben, dan kunnen ze er daarna overheen schilderen.

Mijn voorwaarden waren zo strikt dat meneer Donn me bezorgd aankeek: 'Maar wat hebt u daar dan geschilderd, mevrouw?'

Ik: 'Ach, een land waarvan ik hield. Een land waar ik van iemand hield.'

Hij: 'Dat strand daar, dat overal terugkomt...'

Ik: 'Gewoon een strand waar ik ooit ben geweest.'

Voordat hij wegging vroeg ik hem een eindje met me mee te lopen op mijn avondwandeling. Twee meisjes kwamen ons tegemoet, ze liepen met schelle stemmen te kletsen en te kiften. Toen ze ons passeerden keek het ene meisje me aan en gaf toen haar vriendin met haar elleboog een por in haar zij: 'Dat mens! Dat is ze! De gekkin van de buurt, zegt mijn moeder.'

· ·

Nu kom ik hier weer terug in de kliniek, helemaal alleen, uit eigen beweging, en dan gaat u weg? Wat moet een psychiater nu aan het front? U bent veel te jong, dokter, en uw blauwe ogen zijn te blauw om ze door bommen te laten verbranden. Waarom gaan mannen toch altijd weg? Ik kwam hier alleen maar terug voor u!'

De dokter (*soort Irby Jones*): 'Mevrouw, uiteraard zal een nieuwe arts even kundig zijn als ik. We hebben goede vooruitgang geboekt, ik zal mijn aantekeningen aan

mijn opvolger overdragen en hem vertellen van de vor-
deringen die u hebt gemaakt.'

Ik: 'Bespaar u de moeite.'

De huichelaar knipperde nerveus met zijn ogen: 'U
mag best weten dat ik niet met een vrolijk gemoed vertrek. Mijn plicht is hier bij u, niet daarginds.'

Zijn stem klonk verstikt, en hij stond zo abrupt op om
het vertrek te verlaten dat zijn witte jas in de lucht klap-
perde, als het zeil van een schip, of een parachute die
openspringt.

Wie geeft me mijn broers terug?

Wie geeft me Auntie terug? Haar armen zacht en rond
als zoete broden, haar huid van gebrande koffie en haar
handen van katoen. In Aunties oksels, en op de blote armen uit haar blouses waar ze altijd de mouwen van af-
knipte omdat ze zei dat haar armen stikten van de hitte,
daar vormde haar vlees sierlijke plooien, allemaal kleine
plooitjes die wit waren van de talkpoeder en waar ik mijn
neus in stopte, waarop ik in slaap viel. Ik wil slapen. Ik
wil mijn kindermeid terug, en in haar armen weer heel
klein worden. Auntie is mijn echte moeder, maar niemand weet dat. Auntie heeft me bij mijn geboorte in een
soort tovermelk gedompeld zodat het zwart geen vat op
me zou krijgen. Als slechte dochter heb ik mijn moeder
verloochend, ik ben de dochter van die blanke planters
geworden, de dochter van de rechter en zijn neurotische
vrouw, ik ben een groene parkiet geworden, een leuge-
naarster, en ik heb geleerd liefde te veinzen.

Ik wil de vliegeniers terug.

Ik wil mijn zoon terug. Mijn zoon die in mijn hart vijftien jaar geworden is, en wat een pracht van een jongen is het, geloof me. Nee, de ongenade waarin zijn vader was gevallen heeft hem niet getekend: zijn ondeugende jongenslach is de mooiste, helderste lach van de hele wereld. Hij was mijn zoon. Mijn zoon. Als ik dapperder was geweest, als ik er met zijn vader over gesproken had, dan was het nooit zo ver met me gekomen, dan was ik niet geworden wat ik nu ben.

Speelbal van elektroshocks.

KLOKSLAG MIDDERNACHT

Felder Avenue 919, Montgomery, AL

Voor het rode bakstenen huis staat een boom, de Magnolia grandiflora die Zelda heeft geplant na haar laatste te-
rugkeer uit Europa, een majestueuze boom die de muse- 2007, maart
umdirecteur een ramp noemt. Hij legt uit dat alle magnolia's stinken – ik ruik niets – en vruchten dragen die
zo giftig zijn dat ze je in het ziekenhuis kunnen doen belanden.

Ik waag te veronderstellen dat Zelda de magnolia geplant heeft op de verjaardag van Patricia Frances, toen
ze tien werd. De weelderige boom overweldigt me. De
bodem eronder is bestrooid met dennennaalden – het
werk van een liefdevolle en kunstzinnige tuinman, die
kennelijk niet bevreesd is voor giftige dampen. Patricia
is in deze zelfde stad overleden, in Montgomery. Nu alweer meer dan twintig jaar geleden. De magnolia gaat
door met groeien, voor haar, voor hen drieën.

Michael, de directeur, laat me met zijn sleutel binnen
in de appartementen van Zelda en Scott (het museum is
gevestigd in een van de talrijke huizen die ze achtereen-
volgens bewoonden) en plotseling – ik heb nauwelijks
een stap binnen gezet – springen de tranen me in de
ogen bij het zien van het goudgele parket dat glimt als
een spiegel, gelakt grenenhout met ingelegde blokjes
van mahonie. De trieste schaduwen van de vroegere bewoners glijden langs als op een ijsbaan. De boekenkas-
ten zijn ook van mahonie, en ingebouwd in de wanden.

De vertrekken zijn leeg op een victoriaanse divan na, die Zelda ooit eigenhandig overtrokken zou hebben. En dan die badkamers, overal, bij elke slaapkamer één – 'zelfs bij de kamers van de bedienden'. Aan een badkuip van verweerd email, met koperen kranen die in de loop van de tijd groen uitgeslagen zijn, kun je zien dat bedienden hier anders werden behandeld dan elders, in dit land waar zelfs vandaag de dag de Klan nog huishoudt.

Michael heeft het over een galafeest ter ere van Zelda dat binnenkort wordt gehouden, en waar ik bij zou moeten zijn, ik zeg ja en ik vlucht een ander vertrek in, ik wil alleen maar de stilte horen in deze balzaal waar Scott werkte en die zo groot is dat hij er een nis in heeft gemaakt, een ruimte waar zijn bureau precies in paste – om minder bang te zijn, denk ik bij mezelf, zoals kinderen van rijke overbezorgde ouders niet weten hoe snel ze in hun enorme speelkamer een indianentent moeten opzetten, om de ruimte waar de buitenwereld kan binnendringen zo klein mogelijk te maken.

In dit huis met zijn ouderwetse luxe, in de plantaardige stilte die van deze buurt een oase maakt, ingeklemd tussen de highway en de rondweg, moet ik terugdenken aan de prachtige film van Clint Eastwood, *Midnight in the Garden of Good and Evil.*

Ik heb mijn auto geparkeerd in een straat achter het huis, zonder te weten of dat wel mocht. Ik weet niet waarom, maar ik ben hier altijd bang dat ik iets verkeerd doe. Michael zegt nee hoor, je staat daar goed, en ik wil een wandeling door de tuin maken, met hem praten over de verschillende soorten planten, de bomen en de

borders, die vast door Zelda zijn ontworpen en aange-
legd. Maar dat interesseert Michael geen zier: hij zegt
me dat zonder omwegen. Dan bedank ik hem voor het
bezoek, ik moet nog een eind rijden.

Honderd meter verder, op de hoek van Felder Avenue
en Dunbar Street, open ik het dossier met de kranten-
knipsels van 11 maart 1948.

De *Montgomery Advertiser* is sober. Slechts een paar regels tussen de familieberichten. 'Gisteren, precies om
middernacht, heeft Zelda Sayre, de echtgenote van de
schrijver Scott Fitzgerald, de dood gevonden in een
brand in de inrichting waar zij verbleef, het Highland
Hospital in Asheville, Noord-Carolina; zij werd daar al
meer dan tien jaar behandeld voor psychische problemen. Onze stadsgenoten kennen haar nog, omdat zij
destijds een van de meest opvallende Southern Belles
van haar generatie was. Zelda stond tevens bekend als
schrijfster, schilderes en icoon van de Jazz Age; samen
met haar echtgenoot was ze op twintigjarige leeftijd al
een beroemdheid. Toen de jaren dertig voorbij waren,
raakten ze beiden in vergetelheid.'

De *New York Herald Tribune* geeft verdere details: 'Ze
waren de laatste romantici. Na Scott, haar beroemde echtgenoot, is gisteren om middernacht overleden Zelda
Fitzgerald, op de leeftijd van 47 jaar. Ze kwam om bij een
brand in de psychiatrische afdeling van het Highland
Hospital in Asheville, waar ze jarenlang onder behandeling stond vanwege steeds terugkerende psychische problemen. [...] Net zomin als de andere acht patiënten die
op deze laatste verdieping waren opgesloten kon ze ont-

komen, omdat de deur van haar kamer vergrendeld was en het enige raam voorzien van een hangslot.'

Mijn handen trillen een beetje. Voor sommige manieren van doodgaan deinst onze geest terug, daar willen we niet aan, en ik denk dat een akelige dood te midden van een vlammenzee wel het allerergste is. Door vuur werden opstandelingen omgebracht, en heksen en heiligen, zonderlingen en gekken. Al in mijn kinderjaren probeerde ik te troosten met de gedachte dat martelaren op de brandstapel wellicht al stierven voordat de eerste vlammen aan hun enkels lekten. Dat ze door de pijn meteen buiten bewustzijn raakten, of dat ze door de zwarte rook al gestikt waren voordat ze verbrandden.

Ik heb nooit het idee kunnen accepteren dat Zelda misschien alles bij volle bewustzijn heeft beleefd, dat ze wakker en helder was toen het alarm in het ziekenhuis afging, gevolgd door de sirenes van de brandweer. Liever geloof ik dat ze sliep en dat ze in haar slaap door de rook bedwelmd raakte. Ik vind het prettiger me voor te stellen dat ze versuft was door zenuwpillen, dat ze zo ver weg was dat geen enkel geluid haar kon bereiken, dat ze het bewustzijn verloor en haar hart steeds langzamer ging kloppen totdat het stilstond, dat haar geest en haar lichaam verdoofd waren en zij zo zachtjes de dood is ingegleden. Sommige mensen zouden zeggen: 'vrede heeft gevonden'. Maar ik vind niets vreedzaams aan de dood, die al te lang een nabije vijand is: ik kan me hooguit voorstellen dat je na veel lijden en worstelen het vruchteloze verzet opgeeft en je uiteindelijk schikt in de omhelzing van de tegenstander, omdat er voor dit gruwelijke mysterie geen andere oplossing is.

Zelda kon niet omkomen door vlammen: ze was de sala-
mander.

Deze magische gedachte zou me moeten troosten, maar ik voel hoe mijn keel wordt dichtgeknepen. Ik aarzel over de richting: Mobile of Atlanta? Dieper doordringen in het zuiden van het zuiden? Uiteindelijk terechtkomen bij de Golf van Mexico, of snel weer naar de oppervlakte stijgen – de beschaving?

Een irritant radiobericht, afgewisseld met waarschuwingstonen, wordt zeker al tien minuten steeds herhaald zonder dat ik ernaar luisterde. Waarschuwing voor een tornado.

Terug in het appartement zet ik de televisie aan die ook alarmsignalen uitzendt, maar dan nog ernstiger, lang en zwaar als een noodklok. Opeens is er paniek, de frequentie neemt toe en een digitale stem maant bewoners zich naar de kelders van hun woningen te begeven. De jonge conciërge lakt haar nagels, die zo lang zijn dat ze wel een verlengstuk van haar vingers lijken. 'U moet naar beneden,' beveelt ze me met dat slepende accent van het zuiden waar de klinkers gerekt worden als gomballen in de zon en de medeklinkers worden weggemoffeld. 'En u dan?' Ze haalt onverschillig haar schouders op. 'Zodra ik de tornado hoor aankomen, ga ik naar beneden.'

De luchten van Alabama, die begin ik te kennen: ze zijn net als Zelda, eerst schitterend en daarna buiig en dan onweersachtig en stormachtig en ten slotte apocalyptisch. En de volgende dag is alles weer blauw – je moet het gewoon over je heen laten komen.

In de tijd dat de negentien tornado's langstrekken,

met een mogelijkheid van doodgaan waarin ik niet geloof maar die toch nog nooit zo dichtbij is geweest, denk ik terug aan iemand die ooit op een geheel verkeerde manier van me hield.

Ik was twintig. Ik had een verliefde minnaar die me wilde verbieden te schrijven. Hij was een intelligente, zeer ontwikkelde jongeman. Toch geloofde hij in sprookjes, in de romantische liefde, volgens het idee: *geliefden moeten alles delen*, en: *als je van elkaar houdt moet je volkomen in elkaar opgaan en de rest van de wereld vergeten*.

Om me van het schrijven af te houden, of misschien om onze versmelting volledig te maken, liet hij me zijn lievelingsauteurs lezen, William Faulkner en Carson McCullers. 'Ware meesters,' zei hij, 'absolute genieën,' zonder te weten dat hij mij daar liet kennismaken met twee schrijvers die beslissend zouden zijn voor mijn verdere leven. Ik dacht bij mezelf: *twee mannen die ouder zijn dan ik, die me kunnen leiden, twee wezens op wie ik zou willen lijken*. Ik liet me door hun werk niet intimideren, integendeel: het gaf me nieuwe vleugels en wakkerde ironisch genoeg mijn verlangen om te schrijven alleen maar aan in plaats van het te doven.

Dezelfde persoon maakte me, in een sterrenbespikkelde nacht, op de brug van een veerboot naar Capri, deelgenoot van zijn bewondering voor een uitzonderlijk echtpaar, de Fitzgeralds. Maar met al zijn intelligentie begreep mijn jaloerse vriend niet wat zo voor de hand lag; het verhaal van Scott en Zelda had juist een les voor hem moeten zijn, hem duidelijk moeten maken dat niemand zeggenschap heeft over andermans aard, net zomin als over onweer, bliksem of de wind. Niemand heeft dat: psychiaters niet, klimatologen niet. En zeker snel gekwetste geliefden niet.

Klokslag middernacht zwegen de sirenes in de hemel van Montgomery, radio en televisie hervatten hun programma's.

Klokslag middernacht, Zelda, tijd voor je souper: bestrooi spinaziebladeren met veel peper en sprenkel er een beetje olijfolie overheen. Ook nog wat takjes tijm en rozemarijn, als die voorhanden zijn. Schenk in grote kristallen glazen champagne van 12 graden en zo veel woorden van liefde als mogelijk. Klokslag middernacht, *tijd om te stralen.*

De wind hier waait te hard, hij blaast de stemmen weg, hij blaast de woorden weg, hij neemt de laatste zandkorrels van het strand van Fréjus mee, die knarsen tussen je tanden. De wind van hier jaagt ook mij weg.

Adieu, Zelda. *Het was me een eer.*

Alabama Song is een verzonnen verhaal. Ook al vertonen verscheidene bijfiguren uit dit boek enige gelijkenis met vrienden, familieleden en tijdgenoten van Zelda Sayre, hun beschrijving en hun wederwaardigheden zijn voor het merendeel ontsproten aan mijn verbeelding.

Hetzelfde geldt voor de manier waarop de personages van Tallulah Bankhead en Auntie Julia zijn uitgewerkt. Het was mijn persoonlijke keuze hen zo'n grote rol te laten spelen.

Ook de 'zoon van de vliegenier' en de episode in Menton zijn door mij bedacht. Evenals de arena in Barcelona, de gesprekken met de jonge psychiater van het Highland Hospital en alle scènes in de klinieken. De vriendschap met de dichter René Crevel: verzonnen, maar in de wetenschap dat Zelda en hij elkaar heel goed bij Gertrude Stein ontmoet kunnen hebben. Ook de scène met de privéfilmvoorstelling in het George V hotel berust op fantasie.

Alabama Song moet gelezen worden als een roman en niet als een biografie met Zelda Fitzgerald in de rol van historisch personage.

De brieven zijn verzonnen, met uitzondering van de brief die Scott aan zijn dochter schreef, op bladzijde 193, en het citaat uit een brief op bladzijde 36 ('maar ik kan niet verdragen dat je met een ander trouwt') dat duidelijk is aangepast, want deze ontboezeming was oorspronkelijk niet gericht aan Zelda, maar aan Scotts vriend de schrijver Edmund Wilson ('Het zou me niets kunnen schelen als ze doodging, maar ik kan niet verdragen dat ze met een ander trouwt'). (*Correspondence of F. Scott Fitzgerald*, Random House, 1980, New York. *The Letters of F. Scott Fitzgerald*, Frances Scott Fitzgerald, Scribner, 1963)

De merkwaardige geste van Zelda om haar schilderdoeken weg te geven aan jonge kunstschilders die tijdens de Tweede Wereldoorlog in Montgomery in garnizoen lagen, wordt bevestigd door twee bronnen: *To Spread a Human Aspiration: The Art of Zelda Sayre Fitzgerald* (kunstgeschiedenisscriptie van Carolyn Shafer, University of South Carolina, 1994) en *Zelda, An Illustrated Life, The Private World of Zelda Fitzgerald*, een verzameluitgave onder supervisie van Eleanor Lanahan, kleindochter van Zelda (Harry N. Abrams, Inc, New York, 1996).

Voor de periode van Zelda's kindertijd en jeugd heb ik op de website van de South Carolina University de zeer gedetailleerde chronologie 'Scott Fitzgerald Centenary' geraadpleegd, evenals twee biografieën die veel aandacht besteden aan de psychologische wordingsgeschiedenis van Zelda en Scott: *Zelda*, van Nancy Milford, Stock, 1973, en *Sometimes Madness is Wisdom*, door Kendall Taylor, Random House, 2001.

Graag wil ik blijk geven van mijn erkentelijkheid jegens het Missions Stendhal programma van het ministerie van Buitenlandse Zaken, dat mij in staat heeft gesteld een bezoek te brengen aan Alabama en Georgia, *the Deep South* van de Verenigde Staten.

Dank ook aan Yves Mabin, directeur van 'Écrit et Médiathèques' bij het ministerie van Buitenlandse Zaken.

Dank aan Philippe Ardanez, consul-generaal voor Frankrijk in Atlanta, aan Samia Spencer, honorair consul voor Frankrijk in Alabama, Diane Josse, cultureel attaché in Atlanta, Fabrice Rozié, cultureel attaché in New York, Michael McCreedy, directeur van het Scott & Zelda Museum in Montgomery, en ook aan Jim Gravois en John Varner van de universiteit van Auburn.

Dank aan mijn vriendinnen Ève Rozenberg, Hélène Sautot, Dany Sautot.

Very very special thanks to Lionel Zajde and his family in Atlanta. (Paul, keep on being what you truly R. I'll never forget U.)

Het citaat op bladzijde 61 is afkomstig uit *Mag ik de wals?* (*Save me the Waltz*) Zelda Fitzgerald, Nederlandse vertaling Joyce en Co, Uitgeverij Contact, Amsterdam, 1975.

Het citaat op bladzijde 131 is afkomstig uit *Teder is de nacht* (*Tender is the night*) Scott Fitzgerald, Nederlandse vertaling Henne van der Kooy, Uitgeverij Contact, Amsterdam, 2000.

Andere genoemde uitgave: *De grote Gatsby* (*The Great Gatsby*) Scott Fitzgerald, Nederlandse vertaling Susan Janssen, Atlas, Amsterdam, 1991.

INHOUD

Ook verschenen bij Uitgeverij Cossee

Stéphane Audeguy
Mijn broer, de enige zoon
Roman. Gebonden, 304 blz.

Jean-Jacques was niet de enige zoon van het echtpaar Suzanne en Isaac Rousseau uit Genève, ook al wil zijn beroemde autobiografie *Bekentenissen* ons dat doen geloven. Hij had een broer, François, die door de familie werd doodgezwegen.

De waarheid is dat terwijl Jean-Jacques staatstheoretische en pedagogische boeken schrijft, zijn broer François het hartstochtelijke leven van een losbol leidt en de grote ideeën van de Verlichting op zijn eigen manier interpreteert. Na een wilde jeugd in Genève raakt hij verzeild in Parijs, waar hij zich aansluit bij een illustere kring van vrijdenkers rond een zekere monsieur B. In 1762 wordt hij wegens 'ernstige vergrijpen tegen de goede zeden' opgesloten in de Bastille. Daar beleeft hij de roerige jaren van vlak voor de Franse Revolutie. Door de ogen van François Rousseau zien we een kleurrijke periode vol dramatische omwentelingen. We maken kennis met Diderot en De Sade, en we zien het begin van de moderne tijd al snel in een ander licht.

Als François op 14 juli 1789 door de Jakobijnen wordt bevrijd, leert hij in een Chinees badhuis de mooie en sterke Sophie kennen, die in niets lijkt op het ideale vrouwbeeld van die tijd. Ook in de liefde gelden inmiddels de nieuwe waarden vrijheid, gelijkheid en broederschap. En het gaat er turbulent aan toe, als nieuwe denkbeelden de traditie overwinnen.

'Audeguys vertelkunst is indrukwekkend. Een roman die je in één adem uitleest!' – *Elle*

'Audeguy vat niet alleen de wilde dynamiek van de 18de-eeuwse vrijheidsdwang in één flitsend gemonteerde pastiche. Met talloze spiegeleffecten zet hij op een weergaloze manier ook zijn liefdehaatverhouding met de denkbeelden van de filosoof Rousseau in de verf.' – *De Morgen*

Stéphane Audeguy
Wij, de anderen
Roman. Paperback, 240 blz.

Pierre is blij het snelle Parijs even te ontvluchten om in Kenia een laatste rustplaats te zoeken voor zijn overleden vader, die hij overigens nauwelijks heeft gekend. Hij blijkt een opmerkelijke man te zijn geweest. Als '*écrivain publique*' in de sloppenwijken van Nairobi schreef hij brieven voor de ongeletterden, raakte betrokken bij hun levens en de rauwe kanten van het bestaan.

Tot zijn verbazing krijgt Pierre in Nairobi ook te maken met een halfbroer, en vooral met de geesten van de voorvaderen, met wie een goede Keniaan altijd rekening houdt. Zij eisen een begrafenis zoals het hoort, op een gewijde plek. Het wordt een reis door een betoverend Afrikaans landschap, maar ook door een land dat getekend is door een geschiedenis vol misdadige kolonisten en moderne uitbuiters, met milieuvervuilende Hollandse kassen, racisme, geweld en de arrogantie van de lokale macht.

De wijsheid van de geesten van de voorvaderen weten hoop en hopeloosheid op een boeiende manier te vervlechten. Stéphane Audeguy heeft hun rijk georkestreerde verhaal op een even pijnlijke als ontroerende manier opgetekend.

'Zoals in eerder werk combineert Audeguy ook in deze roman avontuur en geschiedenis, zoektocht en engagement. Wat je bijblijft is vooral de toon van deze schrijver: eerlijk, robuust en authentiek.' – Margot Dijkgraaf in NRC *Handelsblad*

'Maar bovenal getuigt Audeguy in deze wervelende road novel in uitbundige taal van zijn liefde voor het continent.' – Alle Lansu in *Het Parool*

Meer informatie over Gilles Leroy
en de boeken van Uitgeverij Cossee
vindt u op onze website www.cossee.com